LES GUIDES
S'INSTALLER à
Montréal

PHILIPPE RENAULT

SOMMAIRE

Dix raisons de choisir Montréal

1 La langue
Au Québec, la langue officielle est le français; c'est un avantage pour les immigrants francophones qui facilitera l'intégration même si, dans les faits, la métropole est bilingue et que l'anglais s'avère souvent indispensable dans le monde professionnel.

2 L'économie
Le Canada s'est bien sorti de la crise de 2008. Le chômage y est moins élevé qu'en France et la croissance, supérieure. Dans ce contexte favorable, Montréal dispose d'atouts importants en matière d'économie et d'emploi.

3 Un pied en Amérique
S'implanter à Montréal, c'est pénétrer en douceur le marché américain. Tête de pont pour l'Amérique du Nord, la métropole accueille de très nombreux expatriés et sociétés françaises.

4 Une ville verte
De grands parcs et une petite montagne au cœur de la ville, un important réseau de pistes cyclables, des rues ombragées, Montréal est écoresponsable.

6 Les universités

Avec quatre universités, Montréal est la seconde ville nord-américaine pour le nombre d'étudiants par habitant. Et les frais de scolarité dans l'enseignement supérieur sont les plus faibles du Canada… et a fortiori des États-Unis.

7 La sécurité

Le Canada est un des pays où la criminalité est la plus faible et Montréal, une ville où l'on se sent en sécurité de jour comme de nuit. La société québécoise est beaucoup moins violente que celle de sa voisine américaine.

8 Des saisons marquées

À Montréal, on peut profiter des joies de l'hiver avec une neige abondante et de belles journées froides mais ensoleillées et d'un été chaud parfois humide, sans oublier les splendides couleurs de l'automne.

9 Une cité festive

Montréal adore faire la fête. C'est une ville où les gens aiment sortir et « avoir du fun ! » Ses très nombreux festivals d'été et d'hiver permettent d'assister à divers spectacles en plein air, souvent gratuits.

5 Des logements abordables

Il est facile de se loger à Montréal et dans sa banlieue où l'offre est grande. Même si la différence de prix avec Paris est moins marquée qu'auparavant, les coûts à la location et à l'achat d'une maison ou d'un appartement figurent encore parmi les moins élevés des grandes métropoles d'Amérique du Nord.

10 Un air de France

Avec le quartier du Plateau-Mont-Royal notamment, Montréal se donne parfois des airs de petite France : boutiques d'alimentation, côté latin et bon enfant ainsi qu'une certaine forme de convivialité qui se perd dans l'Hexagone.

Montréal express

Quelque 20 %
du Grand Montréal
sont composés
d'espaces boisés.

Une île entre plusieurs mondes

S'installer à Montréal, c'est d'abord quitter la France pour un temps… ou pour toujours. Au cours des dernières années, ils ont été des dizaines de milliers à avoir fait ce choix et ce sont autant d'histoires qui s'écrivent. Les uns vivront cette nouvelle vie intensément, d'autres seront rattrapés par la nostalgie. Le Québec n'est pas un bout de France. S'installer à Montréal, c'est accepter de remettre en jeu son équilibre, de changer ses repères, de revoir certains a priori, de vivre différemment… Extraverti en été, plus sage en hiver, Montréal possède ce grain de folie qui rend un lieu envoûtant et captivant. Comment pourrait-il en être autrement dans une ville où, à cause d'une boucle incongrue du Saint-Laurent, le tracé des rues fait se lever le soleil au sud ?

Une société en mouvement

Montréal, c'est toute une atmosphère, un voyage entre le Vieux Continent et le Nouveau Monde. Cette métropole qui a perdu le nord possède une âme et un cachet incomparables, avec son désordre architectural, ses quartiers juifs, grecs, italiens ou chinois, sa vieille ville française, son centre nord-américain, ses nuits chaudes, ses établissements tapageurs et ses rues inondées de monde au temps des festivals. C'est aussi une société en mouvement, une jeunesse avide de changements — comme en témoignent les récentes manifestations du Printemps érable en 2012 — et une population ouverte à l'immigration, mais qui souhaite garder son identité canadienne-française.

375 ans de défis

Il y a un peu moins de quatre siècles, quelques riches dévots français décident de créer une communauté où colons et « *sauvages de la Nouvelle-France vivraient du travail de la terre* » sur cette île privilégiée « *où toutes les rivières affluent* ». Emmenés par Paul Chomedey, sieur de Maisonneuve, et une infirmière, Jeanne Mance, une quarantaine de pionniers débarquent en mai 1642 afin d'établir une mission d'évangélisation et fondent Ville-Marie, la future Montréal. Dès la fin du XVIIe siècle, la cité se lance avec succès dans le commerce des peaux.

Une porte d'entrée pour l'Amérique du Nord

Au XIXe siècle, Montréal – porte d'entrée du continent nord-américain – se dote d'un véritable port et entreprend de convertir l'économie au négoce des produits manufacturés et à l'import-export. La ville devient une grande place du commerce mondial. Vers 1950, sa vigueur économique s'essouffle doucement. Ce phénomène s'accentue dans les années 1970, lorsque plusieurs grandes entreprises canadiennes, contrariées par la percée du mouvement indépendantiste québécois, quittent la cité francophone pour s'installer à Toronto. L'industrie manufacturière cède alors le pas à une industrie de services.

Une terre cosmopolite

Montréal garde encore des traces de sa période industrielle et de son économie manufacturière. Mais voilà maintenant longtemps que la ville a choisi de se tourner résolument vers le secteur tertiaire et l'international. Dans les années 1960, elle a totalement changé de visage pour accueillir l'Exposition universelle de 1967 puis ce furent les Jeux olympiques de 1976. Aujourd'hui, Montréal s'affiche comme une capitale culturelle et high-tech, mais fait face à des défis d'infrastructures qu'elle a du mal à résoudre. Nulle part ailleurs au monde, on n'entend autant parler de ponts à refaire et de routes en mauvais état !

Une ville verte

Bien qu'il s'agisse d'une agglomération de 3,8 millions d'habitants qui se place au 16e rang des métropoles d'Amérique du Nord, Montréal n'a pas ce côté oppressant qu'ont certaines capitales. L'espace y est partout présent y compris en son cœur avec ses grands parcs. Seul le centre se démarque par une densité de population élevée. Dans les quartiers périphériques et les banlieues, les rues larges et bordées d'arbres sont principalement composées de maisons mitoyennes ou individuelles et de petits immeubles. Plus de la moitié du territoire du Grand Montréal est encore couverte par des terres agricoles et 19 % sont composés

La tour du 1000 de la Gauchetière, avec ses 205 m, est le plus haut édifice de Montréal.

d'espaces boisés. Dans les palmarès (Mercer ou Monocle) des villes où il fait bon vivre, Montréal, grâce notamment à son faible taux de criminalité, se classe toujours entre les 20e et 25e places, devant beaucoup de métropoles américaines, mais toujours derrière Vancouver et souvent au coude à coude avec sa grande rivale Toronto.

Une cité d'immigrants

Pour contrer le vieillissement de sa population et satisfaire un besoin grandissant en main-d'œuvre, Montréal recourt à l'immigration. Près de 80% des nouveaux venus qui s'installent au Québec choisissent de vivre dans la métropole. De fait, ces nombreux arrivants prennent de plus en plus d'importance dans la population totale. Sixième pôle d'immigration en Amérique du Nord, la ville accueille chaque année environ 40 000 personnes issues de tous les continents et parmi elles une majorité de francophones et quantité de Français. L'agglomération compte au total plus de 30 % d'immigrants. En 2011, les Français figuraient en cinquième position de la population immigrée derrière les Italiens, les Haïtiens, les Algériens et les Marocains et devant les Chinois.

Une capitale économique en concurrence

Montréal, c'est la ville du Cirque du Soleil, de Bombardier, d'Ubisoft… c'est aussi le siège de l'Organisation de l'aviation civile internationale (Oaci), de l'Association internationale du transport aérien (Aita) et de l'Agence mondiale antidopage (Ama). Environ 85% de ses emplois proviennent du tertiaire. Les domaines de l'information, de la culture et des loisirs complètent ceux des technologies de pointe (informatique, aéronautique, pharmaceutique) et des services (communication, recherche et développement scientifique). La part des secteurs de haute technologie dans l'emploi total y est la plus importante d'Amérique du Nord. Reste que la métropole que l'on dit parfois un peu endormie a encore des progrès économiques à accomplir. La compétition est féroce avec sa rivale ontarienne Toronto et les grandes agglomérations américaines, tant en terme d'attractivité que de compétitivité.

Des Montréalais à part

Montréal n'est plus une île coupée en deux avec les francophones à l'est du boulevard Saint-Laurent et les anglophones à l'ouest. Même si une majorité des Canadiens anglais réside toujours dans l'Ouest-de-l'Île, au fil du temps les populations se sont mélangées. Se différenciant bien souvent sans s'en rendre compte des autres habitants du Québec, les Montréalais sont urbains, bilingues, de plus en plus interculturels et, bizarrement, n'aiment pas vraiment l'hiver qu'ils subissent souvent en ronchonnant. Leur saison de prédilection, c'est l'été, avec ses festivals, ses terrasses, ses rues animées. Loin des préjugés, Montréal est bel et bien une ville de soleil !

Plus de quatre néo-arrivants sur cinq qui s'installent au Québec choisissent de vivre à Montréal.

Dix clés pour entrer dans Montréal

▶ Une île

Longue de 50 km pour
16 km dans sa plus grande
hauteur, l'île de Montréal
regroupe 16 municipalités
et 19 arrondissements.
On peut donc se trouver
toujours dans l'île mais
éloigné de 25 km du centre.

▶ Le Vieux-Montréal

C'est là que tout a débuté
avec l'arrivée des premiers
colons emmenés
par Paul Chomedey,
sieur de Maisonneuve,
et Jeanne Mance,
les deux cofondateurs
de la ville, dont le Vieux-
Montréal constitue le cœur
historique.

▶ Le mont Royal

La Montagne est le poumon
vert de la ville. Au pied
du belvédère Kondiaronk,
Montréal s'étale,
des gratte-ciel du centre
d'affaires jusqu'aux rives
du fleuve Saint-Laurent.

▶ Le général de Gaulle

C'est du balcon de la grande
façade de l'hôtel de ville
que le général lança,
au soir du 24 juillet 1967,
son fameux : « Vive
Montréal ! Vive le Québec !
Vive le Québec libre ! »,
qui est entré dans l'histoire
du nationalisme québécois.

▶ Un plan en damier

À l'instar de toute bonne
ville américaine, les rues
de Montréal sont rectilignes
et perpendiculaires. Certaines
sont orientées sud-nord ;
d'autres, est-ouest.
La plupart des rues sud-nord
débutent leur numérotation
depuis le fleuve Saint-Laurent,
au sud de l'île.

▶ Rive Nord et Rive Sud

Pour les Montréalais,
les faubourgs débutent
de l'autre côté des ponts.
La banlieue nord est appelée
Rive Nord ; la sud, Rive Sud.

▶ *Concordia Salus*

C'est la devise de la cité,
littéralement « Le salut
par la concorde. » On peut
lui préférer la traduction
anglaise « *well-being through
harmony* », plus explicite...

▶ La Main

Surnommé la Main,
le boulevard Saint-Laurent
partage la ville en
deux du fleuve Saint-Laurent
à la rivière des Prairies.
Il sert de point de départ
à la numérotation des rues
orientées est-ouest. Attention,
le même numéro est présent
deux fois (par exemple : 2825
rue Sherbrooke-Est et 2825 rue
Sherbrooke-Ouest). Il faut donc
toujours préciser si le numéro
cherché se situe à l'est
ou à l'ouest de l'artère.

▶ Le quartier des Spectacles

Montréal est connu pour sa
vitalité artistique. Le quartier
des Spectacles en est le cœur.
Situé en plein centre autour
de la rue Sainte-Catherine,
il a récemment été
entièrement redessiné. Et s'il
accueille de grands festivals,
il rassemble aussi 30 salles
de spectacle et quelque
80 lieux de diffusion culturelle.

▶ Le déneigement

Montréal est une ville d'hiver
qui s'adapte à la neige
et au froid. Après une
tempête, de très nombreux
engins mécaniques déblayent
rues et trottoirs. La neige est
ramassée et stockée dans
d'immenses dépôts en plein
air créant de petites collines
artificielles grisâtres qui ne
finiront de fondre qu'en été !

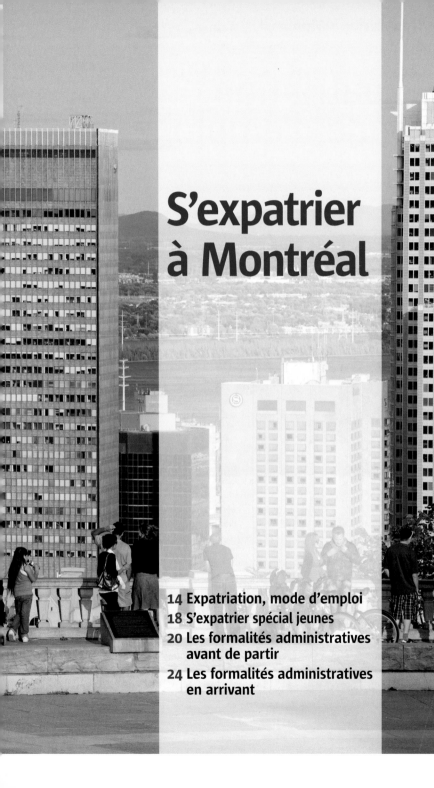

S'expatrier
à Montréal

Expatriation, mode d'emploi

Depuis 2012, c'est le parcours du candidat à l'immigration qui prime.

▶ Immigration choisie

Ne s'installe pas qui veut au Canada, même si le pays demeure une terre d'accueil. Le principe appliqué est celui de l'immigration choisie et les critères de sélection sont stricts. Les démarches d'obtention d'un visa de résidence permanente sont longues, sans parler de leur coût élevé. Une bonne entrée en matière consiste à assister aux réunions d'information organisées par le Bureau d'immigration du Québec (Biq) à Paris et dans des grandes villes de province différentes chaque année ou, encore, à Bruxelles. On peut aussi suivre une séance d'information en ligne d'environ une heure et demie, sur le site d'Immigration Québec, et y remplir le formulaire d'Évaluation préliminaire d'immigration (Epi), qui vous permettra de savoir immédiatement si vous êtes ou non admissible.
> www.immigration-quebec.gouv.qc.ca

▶ Certificat de sélection du Québec

Par un accord conclu avec le Canada en 1991, le Québec est seul responsable de la sélection des personnes qui désirent s'établir sur son territoire et y travailler. Une fois les candidats acceptés, le Biq leur délivre un Certificat de sélection du Québec (CSQ). Mais il leur reste ensuite à entreprendre les démarches auprès de l'État canadien et correspondre, entre autres, aux conditions liées à la santé et à la sécurité de la nation pour décrocher un visa de résident permanent. Sybille, 34 ans : « *Dans notre couple c'est moi qui avais le plus de chances d'obtenir le maximum de points dans le question-*

14

naire de sélection ; je me suis donc inscrite comme requérante principale. »

▶ **Domaines de compétence**

Depuis 2012, la réglementation a été renforcée et c'est désormais le parcours qui prime dans l'obtention du visa. La liste des formations, diplômes exigés et compétences est consultable sur le site du gouvernement québécois. Sinon, de nombreux Arrangements de reconnaissance mutuelle (ARM) passés entre la France et le Québec autorisent une reconnaissance facilitée des qualifications professionnelles. Ainsi, même si des freins demeurent, divers métiers régis par des Ordres (architectes, avocats, médecins,

etc.) peuvent être exercés à la fois dans l'Hexagone et au Québec ; ils sont répertoriés sur le site du consulat de France.

Trouver un emploi à distance

Il est possible d'immigrer plus rapidement si l'on peut justifier d'un emploi au Québec. Par exemple en obtenant un contrat de travail après un entretien lors d'un salon professionnel en France ou directement auprès d'une entreprise québécoise.

• Le Placement en ligne international (Peli), service destiné aux candidats détenteurs du CSQ, permet de s'inscrire en ligne pour être mis en relation avec des employeurs.

• Les Journées Québec qui se tiennent deux fois par an, à Paris et dans une grande ville européenne, constituent une occasion unique de rencontrer des employeurs québécois et de poser des questions aux spécialistes présents. Pour y participer, il faut s'inscrire par avance et envoyer son CV afin d'être sélectionné pour passer un entretien d'embauche avec un recruteur.

> www.domainesformation.com
> www.consulfrance-quebec.org/-accords-et-entente
> www.consulfrance-quebec.org/Etat-des-signatures-des

Les frais de traitement de dossier

Au Québec, demande de CSQ	
Demandeur : 757 $	
Époux, conjoint : 162 $	
Enfant à charge de moins de 19 ans : 162 $	
Au Canada, demande de résidence permanente	
Demandeur principal : 550 $	
Époux, conjoint : 550 $	
Enfant de moins de 22 ans : 150 $	
Droit (visa) de résidence permanente	
Adulte : 490 $ (980 $ pour un couple)	
Enfant : gratuit	
Coût de la visite médicale (non remboursée) dans votre pays de départ	
Adulte : environ 175 €	
Enfant : environ 100 €	
Coût total (1 € = 1,35 $can	
Demandeur seul : environ 1 500 €	
Famille avec deux enfants : environ 3 235€	

Tarifs en vigueur depuis le 1er janvier 2014

▶ **Maîtrise de la langue**

Les candidats sont retenus en fonction de leur formation, leur expérience professionnelle, leur âge, leur capacité d'adaptation à la vie québécoise. Depuis 2012, un test oral de français est obligatoire pour tous les candidats, même francophones de naissance. Il faut donc impérativement cocher « oui je prends le test » pour obtenir les précieux points pour se qualifier.

▶ **Créateurs d'entreprise et indépendants**

À moins d'être sûr de créer son entreprise dès son arrivée au Québec, il est préférable de faire une demande d'immigration à titre de travailleur qualifié plutôt qu'en tant qu'entrepreneur ou travailleur autonome (indépendant). La catégorie spécifique des gens d'affaires impose des conditions supplémentaires (business plan, capitaux, etc.) qui rendent les démarches plus compliquées et plus onéreuses. Une fois admis au Québec, rien ne vous empêchera de fonder votre société… et ce plus rapidement qu'en France d'ailleurs.

▶ Examen médical complet

Plus qu'une visite, il s'agit d'un examen complet au cours duquel on examine à la loupe vos antécédents médicaux. Des prises de sang sont effectuées ainsi qu'une radio des poumons. Les maladies constituant un danger public (mentales, contagieuses…) ou représentant une charge excessive (soins chroniques ou permanents) pour le système de santé canadien sont éliminatoires. À noter que les candidats séropositifs ne sont pas, selon ces critères, systématiquement refusés.

▶ Un processus lent et coûteux

L'ensemble du mécanisme de sélection est long et en

Infos pratiques

▶ **Bureau d'immigration du Québec**
www.immigration.quebec.fr

▶ **Citoyenneté et immigration Canada**
www.cic.gc.ca

▶ **Ambassade du Canada en France**
www.france.gc.ca

▶ **Placement en ligne international**
emploiquebec.net (rubrique « Placement en ligne »)

▶ **Les rencontres Journées Québec**
www.journeesquebec.fr

Quelques recommandations avant de partir

« Avant de remplir l'Évaluation préliminaire d'immigration (Epi), renseignez-vous sur les équivalences scolaires afin d'éviter les quiproquos. Par exemple, le baccalauréat français correspond au diplôme d'études collégiales au Québec alors que le bac québécois équivaut à une licence. Les diplômes ne rapportent des points que s'ils sont obtenus réellement, preuve à l'appui. Contrairement à ce qui passe en France, un parcours non linéaire n'est pas perçu comme de l'instabilité dès lors qu'il présente une cohérence. S'il n'est pas nécessaire d'être bilingue pour trouver du travail au Québec, de nombreux employeurs exigent un bon niveau d'anglais. Il est ensuite fortement recommandé de visiter au moins une fois le pays avant de faire définitivement ses bagages. Enfin, une fois votre demande de Certificat de sélection du Québec envoyée, vous serez convoqué pour un entretien de sélection. Le plus souvent, ce rendez-vous vise à préciser votre adaptabilité professionnelle. Mais il peut aussi s'agir de vérifier votre niveau en anglais ou encore de vous demander de présenter les originaux de vos documents. »
Ève Bettez, conseillère du Biq à Paris.

raison du nombre croissant de demandes, les délais ont été allongés. Il y a quelques années, ce processus pouvait être bouclé en moins d'un an… contre plus de deux aujourd'hui. Quant aux dépenses administratives, de la demande de CSQ à l'obtention du visa, elles sont environ de 1 500 € pour un demandeur seul et de 3 235 € pour une famille de quatre. Et lorsque vous poserez le pied au Québec, on vous demandera de surcroît de justifier d'une autonomie financière suffisante pour couvrir le premier trimestre de votre installation, soit approximativement 2 900 $ pour une personne seule et 5 100 $ pour un couple avec deux enfants.

Il est facile de s'installer grâce à la plus grande banque du Canada*.

Installez-vous plus rapidement, grâce au programme RBC Privilège Plus pour nouvel arrivant^{MC}

- Soutions de crédit, de services bancaires et de placement conçues pour les nouveaux arrivants

- Des conseils spécialisés offerts en plus de 200 langues

- La commodité du plus important réseau combiné de succursales et de guichets automatiques bancaires au Canada

Pour en savoir plus, consultez notre site Web à
rbc.com/sinstaller. Au Canada, composez
le 1 800 769-2511 dès aujourd'hui !

MC

S'expatrier, spécial jeunes

▶ L'immigration provisoire

Elle a la cote depuis quelques années surtout auprès des jeunes. Beaucoup souhaitent vivre une « expérience » canadienne pour s'installer, rentrer ensuite au pays ou encore partir ailleurs. Le nombre de travailleurs temporaires a ainsi considérablement augmenté au Québec. Devant cette tendance, les autorités canadiennes se sont adaptées et les passerelles entre visas temporaires et permanents sont de plus en plus nombreuses. Selon l'ambassade du Canada à Paris la plupart des demandeurs français de résidence permanente sont déjà sur place.

▶ Le séjour temporaire

C'est devenu un excellent tremplin vers l'immigration permanente. Il existe de nombreux programmes permettant d'expérimenter la vie et le travail au Canada.

▶ L'expérience canadienne

Les 18-35 ans (18-30 ans pour les Belges) ont la possibilité de profiter de programmes placés sous l'égide d'Expérience internationale Canada (EIC). On en compte quatre sortes, et on peut cumuler deux séjours dès lors qu'ils appartiennent à deux catégories différentes. Une fois votre dossier accepté, il vous sera demandé une participation aux frais de 150 €.

▶ Le PVT Français et Belges

Le Programme vacances travail (PVT) remporte un succès considérable. Il permet à de jeunes Français (et à de jeunes Belges) de découvrir le pays tout en travaillant pendant un maximum de deux ans. Le nombre de permis de travail offerts peut changer chaque année (6 750 en 2014 contre 4 000 en 2008). Mais attention ! Comme on dit au Québec : premier arrivé, premier servi ! Mieux vaut donc guetter l'ouverture des inscriptions sur le site Internet ou grâce au compte Twitter de l'ambassade du Canada en France, généralement fin octobre, début novembre. L'OFQJ, LE référent du PVT, a par ailleurs créé

" Je ne voulais pas partir trop à l'aventure j'ai donc choisi le programme vacances-travail (PVT), ce statut temporaire me permet de tester pendant un an les conditions de vie et de travail avant d'entamer ma demande de résidence permanente "

Benjamin, 29 ans, webmaster

des alertes PVT envoyées par sms pour vous rappeler les dates d'ouverture des inscritpions. Alors restez vigilants : les places sont souvent attribuées en quelques heures ! Les modalités sont simples : une lettre de motivation et la garantie d'une réserve d'argent d'au moins 2 100 €. Autre site à consulter : www.pvtiste.net/canada

▶ Le PJP

Le Programme jeunes professionnels (PJP) est destiné à ceux désirant se perfectionner dans leur champ de compétences (CDD de 18 mois au maximum). Il faut, bien sûr, justifier d'une offre d'emploi. Ce visa est fréquemment utilisé en prolongement d'un PVT.

▶ Stages et jobs d'été

Dans le cadre de leurs études, les étudiants ont la possibilité d'effectuer un stage pratique au Canada d'une durée maximale d'un an. Ils peuvent également tenter leur chance pour trouver un job d'été : attention, ce dernier ne doit pas excéder trois mois et s'effectue obligatoirement durant la période allant du 1er mai au 30 septembre.

▶ Le PEQ

Il est possible de voir sa demande d'immigration acceptée plus vite grâce au Programme d'expérience québécoise (PEQ), qui s'adresse aux travailleurs temporaires occupant un emploi à temps plein ainsi qu'aux étudiants étrangers. Dans ce cas, le délai d'obtention du CSQ peut être d'à peine trois semaines.

▶ Bougez avec l'OFQJ

Depuis sa création, il y a plus de 40 ans, l'Office franco-québécois pour la jeunesse (OFQJ) offre des stages, des bourses et des formations aux porteurs de projet. Ils s'adressent autant aux jeunes sans qualification, demandeurs d'emploi ou détenteurs de diplômes d'études supérieures qu'aux

professionnels et aux entrepreneurs. Près de 5000 Français bénéficient chaque année des services de l'OFQJ. Cerise sur le gâteau, une convention a été signée avec Pôle Emploi pour permettre aux jeunes chômeurs de conserver leurs allocations durant leur stage au Québec.

▶ Vive le VIE

Le Volontariat international en entreprise (VIE) permet à des sociétés hexagonales de confier à un jeune âgé entre 18 et 28 ans une mission professionnelle dans une filiale étrangère pour une durée de six mois à deux ans. Ils sont plus d'une centaine de volontaires français au Canada. Géré par Ubifrance, le VIE s'adresse avant tout aux ingénieurs, aux bacs plus quatre ou plus cinq et aux chercheurs. Selon Ubifrance, 70 % des volontaires sont embauchés à la fin de leur mission.

Infos pratiques

- ▶ www.immigration-quebec .gouv.qc.ca/peq-travailleurs
- ▶ www.francequebec.fr
- ▶ www.ofqj.org
- ▶ www.civiweb.com
- ▶ www.immigrer.com
- ▶ www.francequebec.com

Les formalités administratives avant de partir

▶ Impôts

Une fois installé, en vertu d'un accord fiscal entre la France et la province canadienne, vous aurez le choix entre continuer à vous acquitter de vos impôts dans l'Hexagone ou les payer au Québec. Le mieux est de contacter le centre des impôts des non-résidents : une cellule d'accueil et d'information est chargée de renseigner les contribuables sur leurs obligations fiscales lors du départ et du retour en France et durant leur séjour à l'étranger.

▶ Banque

Le futur immigrant doit informer sa banque de son départ. Il est tout à fait possible de conserver un compte en France. Celui-ci devient alors un compte de non-résident et certains placements devront être modifiés.

▶ Logement

Pensez à résilier votre bail de location trois mois avant la date de votre départ et prévoyez quelques jours pour votre déménagement et l'état des lieux. N'oubliez pas non plus de clore vos abonnements (téléphone, électricité, câble, mais aussi journaux, club de sport…). Toutes les démarches que vous aurez entreprises au préalable vous éviteront de les gérer du Canada, et ce d'autant que certains services (numéros spéciaux, standards des administrations) ne sont pas joignables – ou très onéreux – une fois traversé l'océan Atlantique.

Ouvrir un compte bancaire au Canada

« L'ouverture d'un compte est indispensable pour effectuer vos transactions courantes. Certaines institutions financières vous offrent la possibilité de l'ouvrir avant même que vous ayez les pieds en sol canadien. De cette manière, vous pouvez virer des fonds de l'Europe vers votre nouveau compte, ce qui facilitera vos transactions à votre arrivée. Nous vous conseillons de communiquer avec l'institution financière canadienne de votre choix. Une fois sur place, il suffira de vous présenter à votre banque et les conseillers vous expliqueront les étapes à suivre. Vous devrez, entre autres, présenter une pièce d'identité. N'oubliez pas que les conseillers financiers sont aussi là pour vous aider et vous soutenir dans vos projets financiers. »

Carole Leduc, directrice Europe des marchés particuliers à la banque Desjardins

▶ Sécurité sociale et Ramq

Une entente conclue entre la France et la Québec permet aux immigrants français assurés par la Sécurité sociale d'être immédiatement couverts par la Régie de l'assurance maladie du Québec (Ramq). Mais sachez qu'il est obligatoire de faire cesser ses droits dans l'Hexagone avant de partir. Pour cela, il faut prendre contact avec le service des relations internationales de la Caisse primaire d'assurance maladie (CPAM) et remplir un formulaire qui vous sera demandé à votre arrivée à Montréal.

▶ Prestations sociales

Sauf exception (tels les stages OFQJ), il n'est pas possible de toucher de prestations sociales quand on a quitté le sol français. Il faut donc prévenir les organismes concernés de votre départ.

▶ Déménagement

À moins de partir seulement avec quelques effets personnels, déménager au Québec exige de faire appel à des professionnels. Avant toute chose, faites le vide autour de vous puis dressez deux listes : une première des objets que vous n'emporterez pas et que vous jetterez, vendrez, stockerez, donnerez ; et une seconde répertoriant ce que vous prenez avec vous. Pour une ou deux malles, il est tout à fait envisageable de recourir au fret aérien. C'est rapide (de sept à dix jours de porte à porte) mais coûteux. Sinon mettez-vous en quête d'un déménageur international et comparez les prix. Au dire de nombreux immigrants, une assurance couvrant la casse n'est pas superflue. Comptez de six à huit semaines pour le fret maritime en conteneur, qu'il est possible de partager (un caisson standard représente environ 30 m³ ; on y réserve le volume dont on a besoin). L'inventaire de tout ce que vous emportez dans l'avion et de ce qui suit par bateau vous sera demandé à Montréal. Cette liste est dressée par catégorie de biens (CD, vêtements, jouets, meubles, vaisselle, etc.), la description doit être la plus précise possible et la valeur approximative de chaque objet, indiquée. Les deux formulaires utiles,

Les documents à fournir

- Passeport ; carte d'identité (seule preuve officielle de nationalité française) ; carte d'électeur.
- Le formulaire de confirmation du statut de résident permanent (remis par l'ambassade du Canada).
- Certificat de sélection du Québec.
- Formulaires B4 et B4a listant les effets personnels que l'on amène avec soi.
- Permis de conduire français et permis international pour ceux qui désirent rester plus de six mois.
- Preuves des fonds disponibles : lettre de la banque, derniers Rib… (Ces documents sont rarement demandés, mais on n'est jamais assez prévoyant.)
- Certificats de naissance ; livret de famille ; certificats de mariage, de concubinage, de pacs ; documents liés à votre divorce et à la garde des enfants.
- Diplômes et attestations de scolarité.
- Attestations d'emplois, d'expériences professionnelles ; lettres de recommandation d'anciens employeurs.
- Certificats et tous documents relatifs à la reconnaissance auprès d'un Ordre professionnel.
- Carnet de santé ou de vaccination.
- Formulaire rempli de la Sécurité sociale pour ceux qui immigrent au Québec.
- Radiographies ou dossier médical si nécessaire.

appelés B4 et B4a, sont téléchargeables sur le site de l'agence des services frontaliers du Canada. À l'arrivée, tous ces biens seront exemptés de taxe, mais sachez que vous n'aurez droit qu'à une exemption.

Infos pratiques

▶ **Centre des impôts des non-résidents**
TSA 10010
10, rue du Centre
93465 Noisy-le-Grand cedex
☎ 01 57 33 83 00
E-mail : sip.nonresidents@ dgfip.finances.gouv.fr
www.impots.gouv.fr
(saisir « vivre hors de France » dans le champ de recherche)

▶ **Régie de l'assurance maladie du Québec**
www.ramq.gouv.qc.ca

Jean-Michel, Gregory, et Camille de la société familiale « Déménagements Gallieni » sont basés dans le nord de la France mais actifs dans le monde entier.

Jean-Michel, Gregory & Camille gèrent avec leurs équipes, en moyenne – près de 800 à 1000 déménagements/an entre l'Europe et la Canada (Québec) et vice versa. Le tout sans intermédiaires et avec le souci de répondre à vos demandes rapidement et simplement. Les « Déménagements Gallieni » sont donc devenus des experts de la mobilité vers le Canada, imbattables pour vous orienter au sein des diverses démarches – souvent effrayantes pour tout candidat au départ! Douanes, taxes, formulaires, délais… Que prendre, que laisser, que vendre, que stocker? Gallieni vous livre ici quelques conseils…

Leur devise?

« Le Monde par Air et Mer »

Leur spécialité?

Le déménagement dans le monde entier mais principalement vers… Le Québec!

Leur credo?

Professionnalisme, sourire et efficacité.

Je pars avec toute ma famille et dois déménager mon appartement. Comment ça marche? Par bateau? Que me conseillez-vous d'emporter?

Réponse de Jean-Michel: Oui, tout se fait par bateau, en container. Vous pouvez réserver votre propre conteneur ou profiter d'un groupage. En général, il faut compter un délai de 4 à 8 semaines (il arrive que l'hiver, les conditions météo augmentent légèrement ce délai). Pour les (nombreuses) expéditions d'été, le départ se fait en mai/juin avec livraison début Juillet. En effet, les baux de locations immobilières canadiens sont généralement le 1er juillet (jour du déménagement au Canada). Nous nous adaptons à cette spécificité. Généralement la première idée est de tout vendre, et de racheter sur place, mais après calcul, il est cependant préférable d'emmener plutôt que de vendre à perte. De ce fait j'ai étudié un tarif de groupage très simple sur une base de volume (exprimés en m³).

Il y a certains meubles et objets auxquels je tiens beaucoup. Comment être sûr de bien les emballer? Comment cela se passe-t-il si, en cours de transit, mes affaires sont cassées ou perdues?

Réponse de Gregory:

• **Au niveau des Emballages.** Dans notre prestation nous pouvons tout emballer: le Fragile et le Non-Fragile. Nous arrivons chez vous, nous nous occupons de tout. Mais le plus souvent, vous désirez emballer la totalité ou partie de votre expédition en effectuant un tri. Nous vous fournissons des cartons, adhésifs et papier bulles correspondant. Le mobilier, la literie, le salon, tout est emballé par nos soins sous Papier BullKraft spécial maritime, sous housses renforcées - type maritime également – penderies portables, etc.

Il est même possible pour certains mobiliers - miroirs, pianos ou autre - de fabriquer des caisses aux dimensions des objets (devis au coup par coup). Attention, le Canada, ce n'est pas la porte à côté - et certaines choses sont interdites ou réglementées.

Il y a des choses qui sont totalement proscrites sur le territoire telles que:
- Les armes à feu (directement en inspection, même si en France, c'est autorisé).
- La nourriture et toutes les denrées alimentaires.
- La terre et plantes.
…
Un exemple cocasse, le vin! Il est envoyé uniquement entre avril et octobre, ceci afin qu'il ne gèle pas lors de la traversée… Attention aussi au nombre de bouteilles autorisées selon votre statut!

Réponse de Camille

• **Au sujet des assurances**

Malgré nos efforts & un emballage spécifique, renforcé et adéquat, il est possible que des objets subissent des frottements et des coups lors du déménagement. C'est pour cette raison qu'il faut bien assurer vos effets à leur valeur de remplacement afin de pouvoir racheter à neuf votre expédition. Nous fournissons bien sûr une attestation d'assurance avec les indications et procédures précises en cas de dégâts et les coordonnées du commissaire aux avaries afin de réduire les délais. Le Jour J, nous venons chez vous avec le container qui sera envoyé par bateau (sauf si vous choisissez une option de groupage). Celui-ci est fermé et plombé devant vous et sera rouvert devant votre nouveau domicile (sauf si inspection). Par ailleurs, sachez qu'il n'y a pas de taxe ou TVA pour l'exportation hors de la Communauté européenne. Vous avez d'autres questions? Vous souhaitez nous exposer votre situation? Nous vous accompagnerons étape par étape, avec une solution à chaque moment de votre préparation.

Jean-Michel, Gregory et Camille Gallieni.

Contactez-nous pour toutes les questions que vous vous posez!

Les formalités administratives en arrivant

▶ Les formalités douanières

Les formalités en douane sont simples. À la descente de l'avion, le nouvel arrivant est dirigé vers les bureaux d'Immigration Canada, qui valide son entrée sur le territoire national. C'est à ce moment aussi que l'on remet le cas échéant les formulaires d'effets personnels. À Montréal, on doit également se présenter au comptoir du Midi (le ministère de l'Immigration, Diversité et Inclusion). Un agent d'accueil enregistrera votre arrivée au Québec et vous donnera quelques renseignements et documents.

▶ Pas d'attentes interminables

Une fois installé, il est important de consacrer très rapidement une journée ou deux aux formalités qui permettront entre autres d'accéder aux soins de santé et au monde du travail. Les files d'attente peuvent être longues mais elles sont bien gérées ; il y a toujours assez de sièges pour tous, souvent une télé pour aider à passer le temps (utile quand on a des enfants avec soi) et un premier filtre est organisé à l'accueil afin de répartir les demandes. C'est en arrivant dès l'ouverture que l'on attendra le moins.

▶ La carte d'assuré social

Le nouvel arrivant doit se présenter au bureau de la Régie de l'assurance maladie du Québec (Ramq) afin de s'inscrire et remettre le

formulaire de la Sécurité sociale française. Chaque membre d'une même famille doit posséder sa propre carte d'assurance maladie. Quelques jours plus tard, le précieux sésame, surnommé Carte Soleil, vous sera expédié à votre domicile. Il est important de toujours le garder sur soi ; il fait aussi office de carte d'identité.

▶ Le Numéro d'assurance sociale

Avoir un Numéro d'assurance sociale (Nas, ou Sin en anglais) est obligatoire pour trouver un travail au Canada ou toucher des prestations. Il peut être également demandé par les banques lors de l'ouverture d'un compte. On peut le recevoir dès son

Aide à l'intégration

S'établir, s'intégrer socialement et professionnellement, s'adapter… À Montréal, on trouve différents organismes d'aide et d'accompagnement à l'intégration pour les nouveaux arrivants. En premier lieu, le Midi (Ministère de l'Immigration, Diversité et Inclusion) offre plusieurs services gratuits dont la session d'intégration de cinq jours. Parmi les dizaines d'organismes de services de soutien aux immigrants certains sont payants, mais la plupart sont gratuits (bien se renseigner). On peut citer l'OFII (Office Français de l'Immigration et de l'Intégration), la CITIM (Clef pour l'Intégration au Travail des Immigrants), le CARI-St-Laurent (Centre d'Accueil et de Référence sociale et économique pour Immigrants), l'Hirondelle… Plusieurs sont particulièrement dédiés à l'entreprenariat et à la réussite dans les affaires comme le SAJE ou encore, spécialement au féminin, le CEFQ (Centre d'Entrepreneuriat Féminin du Québec).

> www.ofiicanada.ca
> www.citim.org
> www.cari.qc.ca
> www.hirondelle.qc.ca
> www.sajeenaffaires.org
> www.cefq.ca

arrivée en se rendant dans un bureau de Service Canada ou effectuer les démarches par la poste. Une fois le formulaire de demande rempli, on vous attribue un numéro à neuf chiffres et une carte d'assuré social vous sera envoyée quelques semaines plus tard. Conservez-la en lieu sûr: ce document important est convoité par les fraudeurs. Personne n'est en droit de vous demander à voir ce numéro, exception faite d'un employeur ou d'une institution bancaire.

> www.servicecanada.gc.ca

▶ Le permis de conduire

Afin d'obtenir son permis québécois, il faut prendre rendez-vous avec la Société de l'assurance automobile du Québec (Saaq). Les immigrants provenant d'une quinzaine de pays dans le monde dont la France, la Suisse et la Belgique, n'ont pas à repasser d'examens de code ou de conduite. Attention, aucune équivalence de permis moto n'est déli-

Moyens de paiements, comment ça marche ?

Les chèques sont payants et très peu utilisés hormis pour régler ses factures et son loyer. Les cartes de crédit sont différentes des cartes bancaires françaises. Elles sont comparables à des cartes de magasin (cf. le chapitre *Consommation: les bonnes adresses*). La première est parfois difficile à obtenir. Il est pourtant important d'en posséder une, car elle permet de se constituer un historique de crédit. Cet antécédent récapitulatif est l'un des principaux outils que les prêteurs utilisent pour accepter ou rejeter un emprunt ou du crédit. Si la banque refuse de vous délivrer une telle carte, tentez d'en obtenir une auprès d'un grand magasin: achetez deux ou trois bricoles à tempérament que vous rembourserez dans les temps, et votre dossier de crédit sera très bien noté!

vrée. Au Québec, le permis est payant. En contrepartie, le conducteur bénéficie d'une assurance pour les dommages corporels en cas d'accident. Chaque année, à votre date anniversaire, vous devrez débourser de 90 à 475 $ en fonction de votre dossier de conduite. Gare donc aux infractions au Code de la route. Contrairement à ce qui se passe en

France, on ne perd pas de points sur son permis, mais on accumule des points d'inaptitude!

> www.saaq.gouv.qc.ca

▶ La banque

Afin d'ouvrir un compte bancaire, présentez-vous à la succursale de votre choix avec vos papiers d'identité et d'immigration. Certains établissements courtisent les nouveaux arrivants, comme les Caisses Populaires Desjardins (qui ont ouvert à Montréal une succursale, le Carrefour Desjardins), ou encore la Banque Scotia, la Banque Nationale du Canada et la RBC-Banque Royale. Là, sont proposés des services spécialement destinés aux immigrants.

> www.desjardins.com (saisir «carrefour desjardins» dans le champ de recherche)
> www.banquescotia.com/bondebut
> www.bnc.ca
> www.rbc.com/francais/canada/

DESJARDINS C'EST:

1er

**GROUPE FINANCIER
COOPÉRATIF AU CANADA**

**AVEC PLUS DE
7
MILLIONS DE CLIENTS**

2e

**BANQUE LA PLUS SOLIDE
AU MONDE,**
SELON L'AGENCE BLOOMBERG
(ÉDITION 2014)

**PIONNIER ET CHEF DE FILE
DES SERVICES BANCAIRES
EN LIGNE ET MOBILES
AU QUÉBEC**

NOUS SOMMES LÀ POUR VOUS

QUE VOUS VENIEZ TRAVAILLER, ÉTUDIER OU FAIRE DES AFFAIRES AU QUÉBEC, DESJARDINS EST VOTRE PARTENAIRE FINANCIER DE CHOIX POUR OBTENIR LE SOUTIEN DONT VOUS AUREZ BESOIN.

- Demande d'ouverture de compte à partir de l'étranger;
- Solutions de paiement;
- Virements internationaux et transferts de fonds dans un compte Desjardins avant votre arrivée;
- Devises étrangères;
- Économies et produits financiers sans frais*.

Le bureau de représentation Desjardins Europe vous accompagne dans vos projets particuliers ou entreprises avant votre départ.

Communiquez avec nous:

France: **01 53 48 79 68**
Montréal: **1 877 875-1118**

Visitez **desjardins.com/ouvrircompte**
pour ouvrir un compte personnel dès maintenant.

Coopérer pour créer l'avenir

48 heures pour comprendre Montréal

JOUR 1 48 heures pour

comprendre Montréal

❶ Le Vieux-Port et la place Jacques-Cartier 9h-10h

Du Vieux-Port à l'hôtel de ville. Quoi de plus logique que de commencer la découverte de Montréal sur les quais du Vieux-Port, dont les façades anciennes sont magnifiquement éclairées par les premiers rayons du soleil. C'est là que tout a débuté lors de la création de la ville, en 1642. Les anciens bassins autrefois dédiés au commerce et à l'industrie accueillent désormais des bateaux de croisière, des yachts et des voiliers. Le gazon recouvre petit à petit les anciennes voies de chemin de fer. Quant aux vieux entrepôts, longtemps laissés à l'abandon, ils ont été transformés à partir des années 1990 en musée high-tech, cinéma grand écran Imax, petit hôtel de charme et lofts de luxe. En quittant le port, il vous suffira de traverser la rue de la Commune pour vous retrouver sur l'imposante place Jacques-Cartier. On s'attendrait à trouver le célèbre découvreur du Canada au sommet de la haute colonne qui domine l'esplanade, mais il s'agit en fait de la statue de l'amiral Nelson, le vainqueur de Trafalgar. Bâtie en 1804 sur les ruines de l'ancien château du marquis de Vaudreuil, la plus célèbre place de Montréal, qui l'été grouille de monde, est bordée de cafés-terrasses. Au nord, trône l'imposant bâtiment de l'hôtel de ville. C'est de son balcon que le général de Gaulle lança en 1967 son fameux : « *Vive Montréal! Vive le Québec! Vive le Québec libre!* »

🚶 30 min • 🏛 • 🖼 • 🍹

Parcours

② La place d'Armes **10 h-11 h**

De la place Jacques-Cartier à la place d'Armes. Pour rallier la place d'Armes directement, suivez la rue Notre-Dame et son palais de justice. Mais vous pouvez aussi vous y rendre en vous perdant (un peu) dans les ruelles très vieille France du Vieux-Montréal: Saint-Paul, Saint-Vincent, Saint-Gabriel, Saint-Dizier et Saint-Sulpice vous conduiront tout en douceur au pied de la basilique Notre-Dame, chef-d'œuvre du néogothique qui domine la place d'Armes. Autour du monument dédié au sieur de Maisonneuve, fondateur de la cité avec Jeanne Mance, trois siècles et demi d'histoire se pressent au coude à coude. À l'est, l'immeuble de grès rouge de la New York Life Insurance est le plus vieux gratte-ciel de Montréal. Érigé en 1888, il ne compte pourtant que huit étages… Son voisin, l'édifice Alfred, a été construit en 1929 dans un pur style arts décoratifs sur 23 niveaux. Au nord, la façade à colonnades de la Banque de Montréal rappelle que le Vieux-Montréal, aujourd'hui touristique, fut l'ancien quartier d'affaires de la ville.

🚶 10 min • 🏛

③ Le Quartier international **11 h-12 h**

De la place d'Armes au square Victoria. En quelques rues, vous allez passer de l'histoire ancienne à la modernité en pénétrant dans le Quartier international, récemment rénové et inauguré en 2004 (il s'étend du palais des Congrès à la place Bonaventure). Suivez le circuit piétonnier et ses 24 étapes et découvrez les trésors cachés de ce nouveau périmètre d'affaires où l'architecture, le design urbain et l'art contemporain sont mis en valeur. La promenade débute devant la

façade colorée du palais des Congrès, sur la place Jean-Paul-Riopelle, au centre de laquelle la fontaine-sculpture *La Joute* s'enflamme toutes les heures à la nuit tombée. La longue allée couverte de verre de la Caisse de Dépôt abrite, elle, de multiples œuvres d'art accessibles au public. Passez ensuite de l'autre côté de la rue Saint-Antoine pour entrer dans le Centre de Commerce Mondial, où vous trouverez, outre une galerie marchande, un bloc de pierre du mur de Berlin ainsi qu'une fontaine monumentale dont la statue d'Amphitrite provient de la petite ville de Saint-Mihiel dans le département de la Meuse, en France. Vous déboucherez finalement sur le square Victoria face aux gratte-ciel du centre-ville où vous serez surpris d'y découvrir une véritable bouche de métro Guimard de style art nouveau, un cadeau de la RATP à son homologue la Société des transports de Montréal (STM).

🚶 20 min • 🏛 • 🖼

④ La rue Sainte-Catherine
12 h-14 h

Du square Victoria à la place Ville-Marie. En général, les Québécois prennent leur repas du midi en à peine une heure sur leur lieu de travail ou dans une « cour alimentaire », un espace de restauration à l'intérieur d'un centre commercial comprenant des kiosques proposant des cuisines du monde. Rien de tel que de profiter de l'heure du « dîner », comme on dit ici en parlant du déjeuner, pour manger sur le pouce en découvrant la partie centrale de la rue Sainte-Catherine et les grands magasins qui ont fait sa célébrité : La Baie, le centre Eaton, Simons et Ogilvy. Du quartier gay, à l'est, à l'avenue Atwater, à l'ouest, la grande artère rassemble plus de 450 boutiques ayant pignon sur rue. Au total, 4,5 km de lèche-vitrines ! On se contentera pour ce premier jour d'arpenter la partie la plus vivante de Sainte-Catherine, entre les avenues Union et McGill College. Au croisement avec l'avenue Union, le centre commercial des Promenades Cathédrale constitue une prouesse architecturale puisqu'il fallut, pour le creuser, dégager du sol la cathédrale anglicane Christ Church et la faire reposer sur des pilotis de béton. C'est également dans l'axe de Sainte-Catherine que s'est développée la partie souterraine de la métropole. Au cœur de cette ville enterrée, dans le prolongement de l'avenue McGill, se trouve la place Ville-Marie, édifiée au début des années 1960 par le célèbre architecte Ieoh Ming Pei, le créateur de la pyramide du Louvre. De là rayonne un vaste réseau piétonnier en sous-sol chauffé en hiver et climatisé en été, qui permet aux Montréalais de « magasiner », de se restaurer ou d'aller au cinéma sans devoir sortir à l'air libre. S'étendant sur 29 km, cette « cité sous la cité » est désignée comme le plus grand complexe souterrain au monde.

🚶 25 min • 🍽 • 🛍 • 🏛

⑤ La Main 14 h-15 h

De la place Ville-Marie à la Petite-Italie. Le boulevard Saint-Laurent, appelé aussi la Main (qu'il faut prononcer à l'anglaise) autrement dit, en français, la principale, est l'artère mythique de Montréal. Il s'étire sur 11 km, du fleuve Saint-Laurent, au sud, à la rivière des Prairies, au nord. Ce fut autrefois la frontière entre les mondes francophone et anglophone, un fil invisible qui divisait la ville en deux sociétés distinctes. Les rues perpendiculaires qui partent du boulevard ont toujours un côté est et un côté ouest dans l'ordonnancement des numéros, mais les barrières sociales sont moins marquées qu'à la fin des années 1960. C'est aujourd'hui un lieu de rencontre, de passage et de métissage unique. Remonter le boulevard Saint-Laurent, c'est un peu comme voyager aux quatre coins de la planète car cette longue artère a été marquée par les vagues d'immigration successives qui ont peuplé la ville. Du petit Chinatown, dirigez-vous vers le Red Light, l'ancien périmètre chaud montréalais aujourd'hui devenu le quartier des Spectacles. Plus au nord, vous pénétrez dans l'ancien secteur juif où l'on peut déguster la meilleure smoked meat (de la viande de bœuf fumée) d'Amérique du Nord. Puis, la rue Saint-Laurent se donne un petit air portugais avec ses restaurants de grillades au charbon de bois. On peut pousser la balade plus au nord, vers la Petite-Italie, qui s'étale nonchalamment autour du marché d'alimentation Jean-Talon avec ses expressos, ses pâtes fraîches et ses pâtisseries gourmandes, mais ce sera pour un autre jour! Et si vous êtes fatigué de marcher, louez un Bixi, le célèbre vélo en libre-service montréalais; c'est facile, une carte de crédit suffit.

🚶 35 min • 〰 • ❘❍❘ • 🍷 • 🚲

⑥ Le Plateau-Mont-Royal 15 h-16 h

De la Petite-Italie à l'avenue du Mont-Royal. Le secteur du Plateau-Mont-Royal s'étend à l'est du boulevard Saint-Laurent, entre les rues Sherbrooke et les voies ferrées du Canadien Pacifique. Communément appelé le Plateau, ce périmètre autrefois populaire est devenu branché dans les années 1980 et attire de jeunes professionnels, des artistes, des étudiants et… des immigrants français qui en ont fait leur quartier d'adoption. Caractérisé par ses rues en damier à l'américaine ainsi que ses balcons et escaliers extérieurs en fer forgé, le Plateau-Mont-Royal est parsemé de parcs dont le plus grand et le plus intéressant est le La Fontaine. Aménagé sur les terrains d'une ancienne ferme, ce joli jardin en pleine ville est parfait pour marquer une pause. Le Plateau est aussi le secteur de Montréal où vous trouverez le plus de peintures murales au kilomètre carré, ce qui en fait un véritable musée moderne en plein air. Outre les grandes artères que sont le boulevard Saint-Laurent et la rue Saint-Denis, suivez la très fréquentée avenue du Mont-Royal, où se succèdent bars à la mode, petits commerces de bouche et boutiques de vêtements parfois excentriques.

🚶 30 min • 🌳 • 🏛 • 🍷 • ❘❍❘ • 🛍

❼ Le parc du Mont-Royal 16h-18h

Balade dans le parc du Mont-Royal. Du boulevard Saint-Laurent en suivant l'avenue du Mont-Royal en direction de l'est, vous débouchez directement sur les sentiers de la Montagne. Dominant la métropole du haut de ses 234 m, le mont Royal, ainsi baptisé par Jacques Cartier, qui l'escalada en 1535, est le poumon de la ville. C'est un lieu de promenade très fréquenté. L'été, les Montréalais viennent y marcher, rouler à bicyclette puis pique-niquent (en compagnie des innombrables petits écureuils gris peu farouches) sur les berges du lac aux Castors. L'hiver, les sentiers se transforment en pistes de ski de fond et le lac, en patinoire géante. Accroché au versant sud, le parc du Mont-Royal est l'œuvre de Frederick Law Olmsted, créateur notamment du Central Park de New York. Le paysagiste a su conserver au site son caractère naturel, aménageant simplement sur ses 101 ha quelques chemins et deux points d'observation. Le premier, sur la voie Camillien-Houde, est encore le rendez-vous des amoureux, à la tombée de la nuit, mais l'été une foule hétéroclite s'y presse pour admirer les lumières de Montréal. L'autre belvédère, situé devant le chalet du Mont-Royal, offre une vue saisissante sur le centre-ville et le fleuve et, par temps clair, sur les contreforts des Appalaches. En fin d'après-midi, c'est le lieu idéal pour se faire photographier en famille ou entre amis devant les gratte-ciel qui se pavanent dans les rayons du soleil couchant. Carte postale réussie garantie !

🚶 30 min • 🌳 • 🖼 • 🏛 • 🍴 • ⛷

❽ Le Quartier latin et la rue Crescent 18h-20h

Du parc du Mont-Royal à la rue Crescent. Le soir arrivant, il est temps de se rendre en bus (depuis le parking du parc du Mont-Royal) dans l'un des deux quartiers parmi les plus animés de Montréal. À l'est de la ville, le bas de la rue Saint-Denis prend le nom de Quartier latin, un hommage à la capitale française et aux beaux jours du boulevard Saint-Michel. Bouillonnant d'activité, bordé de cafés-terrasses et de petits restaurants, c'est l'endroit idéal pour un rendez-vous entre amis. La version anglophone de Saint-De-

nis se trouve plus à à l'ouest, dans la petite rue Crescent. Pubs, restaurants de toutes nationalités et boîtes de nuit s'y succèdent dans une ambiance typiquement nord-américaine. Que ce soit dans le Quartier latin, le long du boulevard Saint-Laurent – dans la partie comprise entre le boulevard René-Levesque et le Plateau – ou encore dans le downtown anglophone, vous constaterez que les nuits chaudes de Montréal ne sont pas une légende.

🚶 15 min • 🍴 • 🍸 • 🚌 11 et 30: 40 min (Quartier latin) • 🚌 435: 30 min (rue Crescent)

JOUR 2 48 heures pour

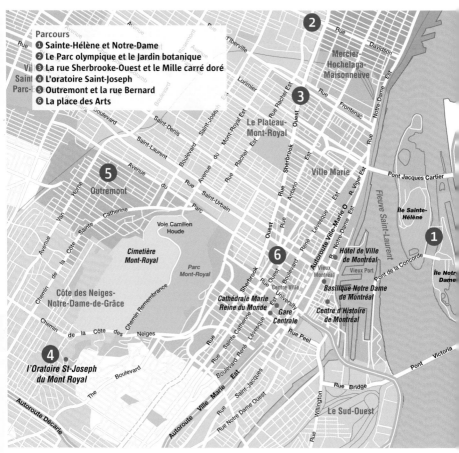

Parcours
1. Sainte-Hélène et Notre-Dame
2. Le Parc olympique et le Jardin botanique
3. La rue Sherbrooke-Ouest et le Mille carré doré
4. L'oratoire Saint-Joseph
5. Outremont et la rue Bernard
6. La place des Arts

1 Les îles Sainte-Hélène et Notre-Dame 9h-11h

Balade sur Sainte-Hélène et Notre-Dame. Au milieu du Saint-Laurent, deux îles, situées sous le spectaculaire pont Jacques-Cartier, font face à la ville de Montréal. On accède facilement à Sainte-Hélène par la ligne Jaune du métro (station Jean-Drapeau). Ensuite, les deux îles longues chacune d'environ 3 km sont reliées par deux petits ponts. Aménagées pour l'Exposition universelle de 1967, Sainte-Hélène et Notre-Dame sont devenues un grand parc récréatif et un rendez-vous apprécié des joggers, des cyclistes et des simples promeneurs. De là, on embrasse la ville dans son ensemble, de ses gratte-ciel s'élançant au pied du mont Royal et qui surplombent le port à ses bâtiments anciens du Vieux-Montréal. L'île Sainte-Hélène est dominée par une impressionnante sphère d'aluminium de 80 m de diamètre qui fut, durant l'Exposition universelle de 1967, le pavillon des États-Unis. Une immense enveloppe en acrylique la recouvrait, mais elle s'est envolée en fumée

comprendre Montréal

en 1978! Il n'en reste aujourd'hui que l'ossature, qui enveloppe la Biosphère, un musée technologique consacré aux grandes questions environnementales. À l'extrémité est, tourne La Ronde, le plus important parc d'attractions du Québec tandis qu'à l'ouest, deux ponts mènent à Notre-Dame, une île artificielle créée dans les années 1960 en prévision de l'Exposition universelle. Elle abrite les ravissants jardins des Floralies et le circuit Gilles-Villeneuve, hôte du Grand Prix du Canada, ainsi qu'une plage de sable qui borde un petit lac intérieur. Pour revenir au centre-ville, on peut prendre le métro à la station Jean-Drapeau ou, durant la saison estivale, emprunter la navette fluviale qui relie Sainte-Hélène au Vieux-Port.

🚶 35 min • 🌳 • 〰️ • 🏛️ • 🚲 • 🍽️ • ⛵

❷ La tour du Parc olympique et le Jardin botanique 11 h-14 h

De l'île Sainte-Hélène au Jardin botanique. Prenez les lignes Jaune puis Verte du métro et sortez à la station Pie-IX pour découvrir la partie orientale de la ville. Vous vous trouvez maintenant au pied de la célèbre tour inclinée du Parc olympique, construite pour les jeux de 1976. Elle culmine à 175 m et la balade en funiculaire qui vous mène au sommet du mât constitue un must montréalais. Le stade accueille aujourd'hui des compétitions sportives et d'autres événements d'envergure. Juste à côté, dans l'ancien vélodrome, est installé le Biodôme, un espace de vie qui abrite 250 espèces animales et 350 espèces végétales, où cinq écosystèmes des trois Amériques ont été recréés, de la forêt tropicale au monde polaire. Mais dans l'immédiat, préférez-lui le Jardin botanique, un des plus beaux au monde, hélas payant, mais vous ne serez pas déçu. C'est un véritable parcours initiatique regroupant sur plus de 73 ha dix serres d'exposition, dont la surprenante serre aux papillons, ainsi qu'une trentaine de jardins extérieurs: une mention spéciale au chinois, le plus grand hors de Chine, qui reproduit un jardin typique de la dynastie Ming, et au japonais, avec sa collection de bonsaïs centenaires. L'été, le Jardin botanique est idéal pour un pique-nique (il est possible d'acheter boissons et sandwiches sur place).

🚶 1 h • Ⓜ 20 min • 🏛️ • 🌳 • 🍽️

❸ La rue Sherbrooke-Ouest et le Mille carré doré 14 h-15 h

Du Jardin botanique à l'avenue McGill College.
Il est temps de jeter un coup d'œil aux beaux quartiers du centre. Reprenez la ligne Verte du métro et descendez à la station Peel. Dans sa partie occidentale, la rue Sherbrooke marque la frontière sud de l'historique Mille carré doré (Golden Square Mile), qui abrita, du début du XIXe au début du XXe siècle, la fine fleur de la bourgeoisie canadienne. 70 % des richesses du Canada étaient alors détenues par les habitants de ce secteur sélect. Aujourd'hui, les grands bourgeois ont quitté le Mille carré doré au profit des hauteurs de Westmount, sur le mont Royal, où ils ont fait bâtir d'imposantes maisons de pierres et de briques entourées de gazon anglais. Sherbrooke-Ouest n'en conserve pas moins son caractère prestigieux. Le ton est donné avec le magasin Holt Renfrew, un délicieux endroit arts décoratifs et une excellente adresse pour trouver tous les produits de luxe (hâtez-vous il devrait fermer fin 2017). À côté, l'hôtel Ritz-Carlton, construit en 1912 et récemment rénové, est très chic. Il abrite depuis 2012 le restaurant du célèbre chef Daniel Boulud. La rue est jalonnée de boutiques de designers, d'antiquaires et de galeries d'art. Sherbrooke-Ouest abrite également le musée des Beaux-Arts, le musée McCord d'histoire canadienne ainsi que l'université anglophone McGill, la plus ancienne du Canada et l'une des plus cotées d'Amérique du Nord. En descendant l'avenue McGill College, vous reconnaîtrez au n° 1981, au pied des tours jumelles de verre bleuté BNP et Banque Laurentienne, l'œuvre qui est devenue un symbole de Montréal : *la Foule illuminée,* de Raymond Mason.
Ⓜ 15 min • 🚶 15 min • 🛍 • 🏛 • 🍽

❹ L'oratoire Saint-Joseph 15 h-17 h

De l'avenue McGill College au quartier de Westmount. Allez à la station de métro Côte-des-Neiges (ligne Bleue ; deux changements) pour visiter la plus impressionnante église de la ville, l'oratoire Saint-Joseph. Commencée en 1924 sur le flanc nord-ouest du mont Royal, la construction de cette gigantesque basilique ne s'achèvera qu'en 1967. Du chemin Queen Mary, il faut gravir 283 marches pour se rendre jusqu'au portique de l'église. Cet important lieu de pèlerinage, qui accueille plus de deux millions de visiteurs par an, est dédié au frère André, un saint

canonisé en 2010 et réputé pour ses talents de guérisseur. Le dôme en béton qui domine l'ensemble figure parmi les plus grands au monde, juste après celui de Saint-Pierre de Rome. Sur le côté, à mi-pente, un parc ombragé abrite un magnifique chemin de croix orné de 17 sculptures de pierre naturelle et de marbre. Le moment idéal pour marquer une pause. Du sommet de la colline, qui culmine à 263 m, s'étend le quartier huppé de Westmount avec ses maisons de plusieurs millions de dollars. Un secteur majoritairement anglophone réservé à la vieille bourgeoisie ou aux nouveaux immigrants très fortunés…
Ⓜ 25 min • 🚶 40 min • 🏛 • 🌳

⑤ Outremont et la rue Bernard 17 h-19 h

De Westmount à Outremont. De Côte-des-Neiges, sur la ligne Bleue, se trouve, à trois stations seulement, Outremont, l'autre fief de la bourgeoisie, mais plus francophone cette fois. Un périmètre tranquille (mais aussi branché avec ses boutiques de luxe et ses restaurants en vogue) et parsemé de parcs paysagers et de demeures cossues s'étale de l'avenue Van Horne jusqu'au mont Royal. L'essentiel de l'activité se concentre rue Bernard, entre les avenues d'Outremont et du Parc. La rue Bernard est parfaite pour un début de soirée. Avec ses cafés et restaurants « à la parisienne », Les Enfants Terribles, le bistro Le République ou le Café Souvenir, on y retrouve l'esprit des brasseries de la Ville Lumière. L'été, les nombreuses terrasses donnent d'ailleurs à la rue des airs de Saint-Germain-des-Prés. On s'y attarde pour voir et se montrer et c'est un point de ralliement pour les nombreux artistes qui habitent le quartier. Les amateurs de glace iront au Bilboquet déguster ses célèbres sorbets.

Ⓜ 6 min • 🚶 25 min • 🍽

⑥ La place des Arts 19 h-21 h

De la rue Bernard à la place des Festivals. Rendez-vous au métro Place-des-Arts. En quelques années, ce secteur au cœur de la ville est devenu le nouveau quartier des spectacles. Dans ce vaste ensemble piétonnier de plus de 6 000 m², la place des Festivals accueille, comme son nom le laisse deviner, les grands événements festifs de la métropole. À l'arrivée des beaux jours, le bal s'ouvre avec les Francofolies, puis viennent les très courus Festival international de jazz et Juste pour rire. En hiver, s'installent les festivités de Montréal en lumière : sur la place, un toboggan de glace long de 110 m fait le bonheur des petits et des grands. La plupart de ces manifestations en plein air sont gratuites. Avec sa trentaine de salles de spectacle, le quartier s'anime en soirée tout au long de l'année. Les collections et expositions temporaires du Mac (le musée d'Art contemporain) valent également le détour, tout comme le récent musée du Jazz ou, encore, la maison du Festival, qui produit des concerts. Mais peut-être aurez-vous plutôt envie de vous reposer après ces deux longues journées de découverte…

Ⓜ 30 min 🚶 15 min • 🏛

Repérages autour de

Parcours

- **1** **Les Laurentides**
- **2** **La Montérégie/Mont-Saint-Hilaire/ La vallée du Richelieu**
- **3** **Les Cantons-de-l'Est**
- **4** **La route des Vins**

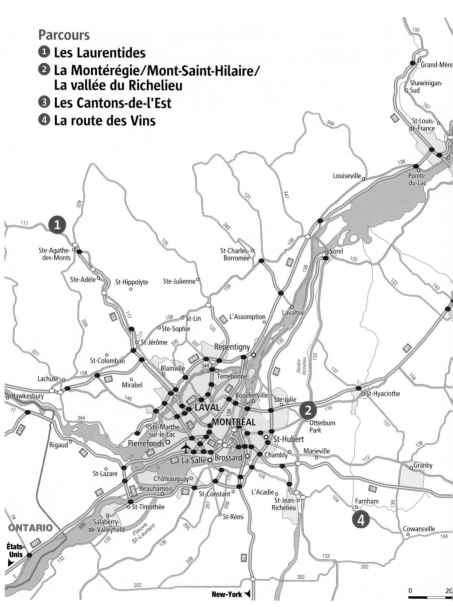

Montréal

Le temps d'un week-end (ici on dit plutôt fin de semaine), les Montréalais adorent partir dans la nature environnante. Et ils sont gâtés! À une ou deux heures de la métropole les attendent de vastes étendues de forêts, des petites montagnes, des rivières, des vallées parsemées de villages bucoliques. Et même une région de vignobles.

❶ Les Laurentides, le Petit Nord des Montréalais

Balade à Saint-Sauveur-des-Monts. La beauté et la douceur de ces montagnes, les plus vieilles du monde, ont fait du Petit Nord le lieu de villégiature le plus apprécié des habitants de la métropole (accès par l'autoroute 15-Nord). Beaucoup de familles possèdent, selon leurs moyens, un grand ou un petit chalet dans les Laurentides et y passent leurs fins de semaine. Ici, la nature est à son meilleur, comme disent les Québécois. Après Saint-Jérôme, en prenant la route 117, qui remonte vers le nord sur près de 200 km jusqu'à Mont-Laurier, on traverse de petites villes et des villages coquets, parfois un rien guindés avec leurs luxueuses résidences. Pour une excursion d'une seule journée, mettez le cap sur la jolie station de Saint-Sauveur-des-Monts. Été comme hiver, sa rue principale bordée de vieilles maisons en bois peint, de belles boutiques de vêtements et de restaurants plus ou moins gastronomiques, est toujours animée. À l'automne, la nature environnante s'embrase des couleurs de l'été indien. Belle occasion de marcher sur quelques kilomètres le long de la piste cyclable du Petit Train du Nord, aménagée sur une ancienne voie de chemin de fer. En hiver, 13 stations de ski alpin attirent les Montréalais. Attention! Le dimanche soir, il n'est pas rare d'être pris dans les bouchons du retour.

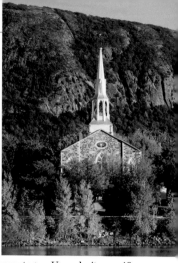

② La Montérégie/Mont-Saint-Hilaire/La vallée du Richelieu

Balade dans la Montérégie. De l'autre côté du pont Jacques-Cartier s'étend ce que les Montréalais surnomment la Rive Sud. Cette banlieue est constituée de petites villes plus ou moins chics qui se succèdent le long du fleuve Saint-Laurent mais aussi à l'intérieur des terres. Une première halte s'impose à Mont-Saint-Hilaire, situé au pied d'une montagne du même nom haute de 410 m et inscrite au patrimoine mondial de l'Unesco. De là, s'étend un réseau de 25 km de sentiers mènent à quatre sommets offrant de magnifiques panoramas. À environ 500 m du pavillon d'accueil, se trouve le lac Hertel, formé par l'action des glaciers qui recouvraient il y a 10000 ans cette montagne. Un endroit magnifique pour une courte promenade matinale, histoire de bien commencer la journée en prenant un grand bol d'air pur. De retour au village, la route 133, également surnommée le Chemin des Patriotes, longe la rivière Richelieu et vous conduira jusqu'à l'autoroute des Cantons-de-l'Est (la 10). Du début septembre à la mi-octobre les Montréalais se rendent « aux pommes ». En famille ou entre amis on cueille les fruits sur les arbres pour les ramener à la maison. La dégustation sur place est de mise, bien sûr, et diverses activités sont organisées par les pomiculteurs. Les vergers se situent principalement à Rougemont, Mont-Saint-Hilaire, Mont-Saint-Grégoire ainsi que dans le sud-ouest de la Montérégie.

③ Les Cantons-de-l'Est

De la Montérégie aux Cantons-de-l'Est. Cette région du Québec que l'on appela un moment du curieux nom d'Estrie ressemble bigrement à sa voisine états-unienne, la Nouvelle-Angleterre. Longtemps habitée par les Indiens Abénaquis, elle accueillit à bras ouverts, après l'indépendance américaine (1783), plusieurs milliers de réfugiés loyalistes qui entendaient rester fidèles à la Couronne d'Angleterre. En reconnaissance, le gouvernement britannique leur donna des terres, baptisées townships (cantons), afin qu'ils y refassent leur vie. Plus tard, des Irlandais puis des Écossais les rejoignirent. Bien que les Cantons-de-l'Est soient aujourd'hui majoritairement francophones, l'influence anglo-saxonne s'y fait sentir. Pour preuve, ces villages à la discrétion toute britannique, ces belles demeures victoriennes au toit cassé, ces églises anglicanes et, plus insolites, ces mystérieuses granges rondes qui n'existent nulle part ailleurs au Québec. Avec leurs forêts de feuillus, leurs lacs et leurs monts, les Cantons-de-l'Est déploient leur splendeur dans les couleurs de l'automne. Installé sur la rive nord du lac Massiwippi, North Hatley, sans doute le plus beau village de la région, symbolise bien cette douceur de vivre. Ses bons restaurants et ses multiples boutiques et galeries d'art naïf font de cette bourgade de 750 habitants un lieu de villégiature fort recherché.

❹ La route des Vins

Balade le long de la route des Vins. Une manière originale et agréable de prendre ses distances avec Montréal est de parcourir la route des Vins, qui sillonne la région de Brome-Missisquoi. De Lac-Brome (également appelée Knowlton) jusqu'à Farnham, ce sinueux trajet de campagne d'environ 140 km rassemble 18 vignobles et de nombreuses étapes gourmandes. À la fin des années 1970, une poignée de vignerons a voulu

réaliser ici l'impossible : produire du vin québécois en se jouant des hivers glacials. Ces courageux et tenaces viticulteurs réussirent en remettant au goût du jour une méthode ancienne, le buttage, qui consiste à enterrer en partie la vigne avant l'arrivée des grands froids. Le vignoble produit essentiellement des vins blancs tranquilles et quelques rouges. S'y ajoutent les crus des vendanges tardives et des vendanges sous le gel qui donnent des vins de glace au goût très doux. À déguster en apéritif ou au dessert ! Certains, récompensés dans des concours internationaux en Amérique, méritent le déplacement.

Les cabanes à sucre

Chaque année, au printemps, le rite est immuable : les citadins se rendent à la cabane à sucre. La neige commence à fondre et l'alternance du gel, la nuit, et de températures au-dessus de zéro, la journée, fait couler la sève des érables à sucre. On recueille en entaillant les troncs la précieuse eau d'érable, qui, une fois chauffée, se transformera en sirop de couleur caramel. Dans de grandes salles à manger rustiques, on peut déguster à la cabane à sucre un repas typiquement québécois de circonstance : soupe aux pois, fèves au lard, oreilles de crisse (lard salé grillé), jambon et crêpes arrosées de sirop d'érable… Sans oublier de terminer le repas par une « tire sur la neige », du sirop plus épais enroulé autour d'un bâton qui se déguste comme une sucette. Il y a de nombreuses érablières (peuplement forestier dominé par l'érable) et cabanes à sucre autour de Montréal, mais la majorité n'est ouverte qu'en mars et avril. La Sucrerie de la Montagne, à Rigaud (70 km de Montréal), fonctionne quant à elle toute l'année. Une belle occasion de se plonger dans la culture populaire québécoise.

Vivre
à Montréal

Le climat et l'environnement

L'hiver montréalais est rigoureux : la température descend souvent sous les -15 °C en janvier et février. Les vêtements chauds sont de rigueur.

▶ Chaud et froid

D'après Environnement Canada, on dépense ici davantage pour les vêtements que dans tout autre pays. La raison ? Au Canada, on affronte pluie, neige, glace, vents, humidité… et soleil sous toutes les nuances possibles. Les températures peuvent dépasser les 30 °C en été et plonger sous les -30 °C en hiver.

▶ Saisons contrastées

La province du Québec jouit d'un climat continental à très forte amplitude thermique. Quatre saisons contrastées s'y succèdent : un printemps doux et bref ; un été chaud et humide ; un automne coloré mais un peu frais ; un hiver rigoureux le plus souvent long, froid et neigeux, mais ensoleillé. En général, il se produit cinq ou six tempêtes de neige par année. Conséquence d'un changement mondial du climat ? Les flocons commencent à tomber de plus en plus tard dans l'année, plutôt au mois de décembre qu'en novembre.

▶ **L'effet de l'eau**

On dit toujours qu'à Montréal les températures sont plus clémentes que dans la capitale Québec qui se trouve plus au nord et où, en moyenne, le thermomètre affiche trois degrés de moins en été et quatre de moins en hiver. Côté températures s'ajoute l'effet réchauffant des grandes villes que les Parisiens connaissent bien à l'intérieur de leur périphérique. À Montréal, il n'y a pas de boulevard circulaire autour de la ville ; ce sont les cours d'eau qui font la différence. La proximité de l'eau a tendance à renforcer le froid en hiver lorsque toute ou une partie de la surface des cours d'eau est gelée et à modérer la chaleur en été. C'est ce phénomène qui fait que le Vieux-Port ou les berges de la rivière des Prairies sont toujours plus frais que le centre-ville et les quartiers centraux.

▶ **Hivers rigoureux**

Il ne faut pas sous-estimer les rigueurs de l'hiver. À Montréal, la température descend souvent au-dessous de -15 °C en janvier et février. Donc à vos manteau doublé, « tuque » (bonnet), « mitaines » (moufles) et, bien sûr, bottes chaudes et imperméables !

▶ **Smog !**

Le redouté smog, mélange de polluants atmosphériques qui limitent la visibilité dans l'atmosphère pendant plusieurs heures, se forme à toutes les périodes de l'année. Contrairement à la croyance populaire, l'hiver est plus propice à la formation du smog que l'été. En 2010, Montréal est resté 339 jours sans smog. Pour qui a vécu dans une grande ville française, Montréal est dans l'ensemble une métropole où l'air est encore respirable, mais dans les prochaines années si rien n'est fait pour limiter la pollution, en raison de la densité de la population, en hausse, du réchauffement climatique et du nombre croissant de voitures sur les routes, sa situation risque d'empirer.

Qualité de l'air

Selon l'Organisation mondiale de la santé, Montréal arrive au 6e rang des villes canadiennes où la pollution atmosphérique est la plus intense juste derrière Sarnia en Ontario. Il faut toutefois relativiser cette triste place car, au niveau mondial, le Canada se retrouve en troisième position parmi cette fois les pays qui bénéficient d'un air de bonne qualité dans leurs métropoles. Le taux de concentration en particules en suspension de moins de 2,5 microns (indice prépondérant du classement de l'OMS et principal vecteur de maladies graves) serait en moyenne de 11 microgrammes par mètre cube d'air à Montréal. Bien qu'il soit préoccupant, ce niveau est néanmoins nettement moins élevé qu'à Paris (22,7 µg). Pour l'année 2013, l'indice de la qualité de l'air a été mauvais 53 jours de l'année, dont 15 jours de smog. Des chiffres en deçà des données parisiennes qui faisaient état d'un air de mauvaise qualité durant 117 jours dans la capitale française en 2012.

▶ Ici, l'arbre est roi

L'impression de respirer un air relativement peu pollué est sans aucun doute accentuée par l'omniprésence de la verdure dans la ville. L'île compte en effet 22 grands parcs dont le spectaculaire Mont-Royal, poumon de la métropole. À ces grandes étendues s'ajoutent le Jardin botanique, un des plus beaux au monde, et des centaines de petits espaces verts. L'arbre est partout présent dans Montréal à l'exception du centre d'affaires où s'épanouissent surtout les gratte-ciel. La plupart des rues sont ainsi largement ombragées. La Politique de l'arbre adoptée par la Ville stipule que tout arbre coupé doit être remplacé y compris sur les propriétés privées. Avant d'abattre un arbre, il faut demander une autorisation, qui sera accordée uniquement s'il est mort, atteint d'une maladie irréversible, pouvant causer un dommage à un bien ou empêchant une construction. Montréal a récemment lancé un plan d'action visant à accroître la canopée de 5 % d'ici à 2025.

▶ Une eau du robinet de bonne qualité

Il n'y a pas de raison d'acheter de l'eau en bouteille qui, la plupart du temps, ne sera pas de meilleure qualité que celle du robinet. Le Château-la-Pompe de Montréal est un bon cru ! Bien que puisée principalement dans le Saint-Laurent, le lac Saint-Louis ou la rivière des Prairies, l'eau montréalaise, débarrassée des impuretés qu'elle contient, puis filtrée, désinfectée et chlorée, est bonne à boire. Le règlement adopté en 2001 par le Québec, avec des normes et des contrôles parmi les plus rigoureux au monde, assure aux habitants une eau potable de qualité. Chaque

Infos pratiques

▶ Le bulletin météorologique
www.meteo.gc.ca
www.meteomedia.com
▶ La qualité de l'air
www.iqa.mddep.gouv.qc.ca

jour, six usines de filtration produisent quelque trois millions de mètres cubes, soit l'équivalent de 800 piscines olympiques ! Enfin, il est bon de répéter qu'au Québec l'eau fournie par la ville est encore gratuite pour les particuliers.

▶ Baignade sous surveillance

Jadis, l'île de Montréal était bordée de plages publiques et le Saint-Laurent, un lieu d'activités récréatives fort prisé. Mais la santé environnementale du fleuve s'est graduellement détériorée. En dépit d'efforts réalisés ces dernières décennies pour améliorer la qualité de l'eau, le Saint-Laurent, au sud, et la rivière des Prairies, au nord, n'ont pas encore retrouvé une bonne réputation. Sur 131 km de rives accessibles au public, seules trois plages sont ouvertes : la Plage dorée (artificielle) dans le parc Jean-Drapeau, sur l'île Notre-Dame ; celle du parc-nature du Cap-Saint-Jacques, à Pierrefonds ; celle du parc-nature du Bois-de-l'Île-Bizard. En 2012, le port de Montréal a ouvert sa plage de sable, mais on ne s'y baigne pas. Une nouvelle plage, la plage de l'Est à Rivière-des-Prairies-Pointe-aux-Trembles, devrait être accessible au public en 2016 et un projet est à l'étude à Verdun.

Se déplacer dans Montréal

▶ **Automobile prépondérante**

Montréal est une ville étendue où la voiture occupe une place importante à l'image de la plupart des métropoles nord-américaines. Et de nombreux embouteillages dus aux trajets ville-banlieue et banlieue-banlieue se forment.

▶ **Transports en commun**

Bien que développés au cœur de l'île notamment avec le métro, les transports en commun ne comblent pas tous les be-

soins. La région montréalaise n'est en effet desservie que par six lignes ferroviaires de banlieue, avec des trains qui passent toutes les 20 à 30 min en période de pointe ! Il y a bien des réseaux de bus, mais là encore les horaires sont espacés, sans oublier les quatre ou cinq mois d'hiver pendant lesquels la neige et le froid entravent la circulation. La ville est en outre pénalisée par des ponts trop rares et perpétuellement en travaux du fait de leur vétusté. Il est difficile de vivre dans les

banlieues (ou même dans les quartiers excentrés de l'île de Montréal) sans posséder au moins une voiture.

▶ **Un clivage centre-banlieue**

En 2010, tous transports confondus, la durée moyenne des déplacements des habitants de la métropole pour se rendre au travail était de 31 min. La majorité (54 %) mettait entre 15 et 44 min ; 20 %, moins de 15 min ; 26 %, plus de 45 min. En moyenne, la durée d'un trajet est plus courte en voiture (30 min) qu'en transport en commun (39 min). Cependant, 41 % des travailleurs résidant dans Montréal recourent aux transports en commun contre 11 % des habitants des municipalités avoisinantes. On assiste donc à un clivage centre-banlieue bien différent de celui des grandes villes européennes.

Montréal ou sa périphérie : le prix d'une seconde voiture

L e prix moyen d'une maison en banlieue est de 250 000 $ (375 000 $ dans l'île de Montréal). Selon l'Association automobile du Québec, le coût annuel d'une seconde voiture, souvent nécessaire en banlieue, est de 9 500 $ pour un ménage. Une dépense à anticiper lors du choix de la localisation de son logement pour qui travaille en centre-ville.

Les transports en commun

▶ **Un métro propre et écologique**

Inauguré en 1966, un an avant l'Exposition universelle, le métro de Montréal fut le premier au monde à se doter d'un système de roulement sur pneumatiques. Doux et silencieux, ces derniers facilitent les montées, les démarrages et les freinages et réduisent les vibrations émises aux édifices voisins. Le métro s'enorgueillit également d'être l'un de ceux à afficher l'une des empreintes carbone les plus basses. Entièrement souterrain, propre et sécuritaire, il est plutôt agréable à utiliser. Et en dehors des heures de pointe (entre 7h et 9h et 15h30 à 18h), on y trouve la plupart du temps une place assise.

▶ **Quatre lignes de métro**

S'étendant sur 71 km, le réseau compte 68 stations et quatre lignes numérotées de 1 à… 5! En effet, la 3, qui devait emprunter les voies de chemin de fer et le tunnel sous le mont Royal pour rallier le nord de l'île, n'a jamais été mise en service. En raison de l'Exposition universelle de 1967, on lui a préféré la ligne 4 en direction des deux îles Sainte-Hélène et Notre-Dame et de la rive sud du Saint-Laurent. Peu de Montréalais recourent d'ailleurs à cette numérotation; ils utilisent plutôt le code couleur: vert (1), orange (2), jaune (4), bleu (5).

▶ **Les horaires**

Les rames roulent de 5h30 à une 1h du matin et une demi-heure de plus le samedi soir à l'exception de la ligne bleue, opérant entre 6h et 0h15 tous les jours. Les temps d'attente entre chaque rame varient en fonction de l'heure et du jour: de 3 à 10 min en semaine; de 6 à 10 min le week-end.

▶ **209 lignes d'autobus**

Le maillage des autobus de la STM est constitué de 209 lignes dont 31 lignes express, 23 lignes de nuit et 15 navettes spécialisées dont une (la 747) menant à l'aéroport Trudeau. Souvent ponctuels et confortables, les bus attirent une clientèle de plus en plus nombreuse. Seul inconvénient, l'abri ne précise jamais le nom de l'arrêt et, durant le trajet, rares sont les autobus dans lesquels on peut suivre le parcours. Demandez aux conducteurs de vous indiquer votre arrêt, ils le font avec plaisir. Attention, si vous ne possédez pas de billet ou de carte Opus, il vous faudra donner au chauffeur la somme exacte en pièces.

▶ **Tarifs intégrés**

Les titres de transport de la STM donnent droit à un déplacement complet, quel que soit le moyen utilisé (métro ou bus) ou le nombre de correspondances (dans la limite de deux heures après la première utilisation).

▶ **La carte Opus**

La carte Opus permet de charger billets, carnets ou abonnements. Lors de la lecture du badge, un écran du tourniquet ou de la borne vous indique votre solde. On peut acheter les titres de transport dans toutes les stations, mais aussi dans nombre de «dépanneurs», ces épiceries de quartier ouvertes

▶ **Infos pratiques**

▶ Société de transport de Montréal
www.stm.info
▶ Les calculateurs de trajets de la STM
www.stm.info/azimuts
▶ Agence métropolitaine de transport
www.amt.qc.ca
▶ L'art dans le métro
www.stm.info/metro/art
▶ La musique dans le métro
www.musimetromontreal.org

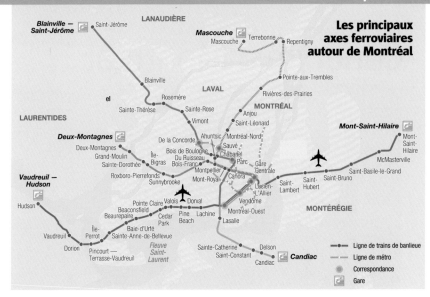

Les principaux axes ferroviaires autour de Montréal

jusque tard. Début 2015, le ticket à l'unité coûtait 3,25 $; le carnet de dix trajets 26,50 $; le passe mensuel, 82 $.

▶ Gratuités et réductions

Les transports sont gratuits pour les moins de cinq ans; des réductions sont accordées aux 6-17 ans et aux plus de 65 ans. Les 18-25 ans ne bénéficient d'un tarif réduit que sur les forfaits mensuels. Le programme Sorties en famille, lui, autorise cinq enfants de 11 ans au maximum à voyager gratuitement s'ils sont accompagnés d'un adulte détenant un titre de transport valide. L'offre s'applique du vendredi 18h au dimanche à minuit ainsi que les jours fériés et du 19 décembre au 4 janvier.

▶ Six lignes de trains de banlieue

Le réseau des trains de banlieue ne compte que six lignes. Un service donc limité et, surtout, des horaires indignes d'une grande métropole comme Montréal. Les trains ne passent que toutes les 20 à 30 min en heure de pointe et toutes les 60 min, au minimum, le reste du temps. Plus désolant encore, il y a un départ toutes les deux heures et parfois même aucun le week-end! Sans voiture, la vie en banlieue peut être difficile.

Ambiance métro

Les 68 stations de métro sont uniques, car leur réalisation a été confiée à chaque fois à un architecte différent. Presque toutes comportent des ouvrages d'art. La première fut *L'Histoire de la musique à Montréal,* de Frédéric Back, inaugurée en 1967 à Place-des-Arts. Autre pièce emblématique, le vitrail de Marcelle Ferron dans la mezzanine à Champ-de-Mars. La station Georges-Vanier, dans le quartier Petite-Bourgogne, abrite quant à elle une œuvre originale : le pilier en béton qui semble là pour soutenir la voûte et éclairer le quai est en fait une sculpture intitulée *Un arbre dans le parc.* On trouve en outre 52 emplacements (indiqués par des pancartes représentant une lyre blanche sur un fond bleu) réservés aux musiciens. Quant aux « itinérants » (les SDF), ils n'investissent pas forcément les couloirs et quais du métro en dehors de quelques grandes stations du centre. La police tolère leur présence tant qu'ils n'ont pas un comportement gênant. Enfin, sachez que les inspecteurs de la STM ont un pouvoir qui s'apparente à celui des policiers. Les infractions sont passibles d'une amende variant de 50 à 500 $.

Conduire à Montréal

▶ Vivre avec le trafic

Montréal se classe parmi les cinq pires villes en matière de circulation automobile en Amérique du Nord (Los Angeles détenant la palme). La cause en est probablement un réseau routier et un ensemble de ponts désuets, inadaptés au fort trafic de la ville.

▶ Points noirs

Chaque jour ouvrable, le tiers des voies autoroutières et des grandes artères qui enregistrent près de 60 % du temps d'attente est affecté de manière récurrente par les embouteillages. Aux heures de pointe, le retard moyen des déplacements atteint 40 min par heure de conduite. Le matin et le soir, les autoroutes 40 et 20 aux abords de la métropole et la 15, qui coupe la ville en deux du nord au sud, sont en général congestionnées. Tout comme les alentours des grands ponts de la Rive Sud, Champlain et Jacques-Cartier, ou du tunnel Louis-Hippolyte-La-Fontaine.

▶ À contre-courant

Ces dernières années, les chantiers routiers ralentissant la circulation ont été nombreux et d'autres, encore plus importants, restent à venir comme le remplacement de l'échangeur Turcot (fin 2018) et celui du pont Champlain (de 2016 à 2021). Le pire est donc à redouter. Hors période de pointe ou si l'on roule à contre-courant des migrations matinales et de fin d'après-midi, la voiture reste un bon moyen de déplacement à Montréal même s'il est peu écologique.

▶ Des conducteurs encore trop indisciplinés

Respectez la limitation de vitesse en ville (50 km/h, parfois 40) et vous serez vite collé puis doublé par la gauche ou par la droite par les Montréalais. Idem sur les autoroutes qui traversent l'île dont la vitesse est la plupart du temps limitée à 70 km/h : si la circulation le permet, il est de coutume de rouler à 90 km/h !

La conduite montréalaise

Si vous vous attendez au flegme, à la patience et à la politesse anglo-saxonne au volant comme elle est souvent de mise dans beaucoup de provinces du Canada, vous allez être déçu ! Le Québec se distingue une nouvelle fois par sa singularité. Sur la route, c'est le côté latin qui prime. Enfin, si le klaxon est utilisé de façon moins intempestive que dans le sud de l'Europe, les insultes et appels de phare ne sont pas rares. Bref, le conducteur montréalais n'est pas toujours un gentleman…

Les principaux axes routiers autour de Montréal

Contrairement à la France, il n'y a pas encore – ou presque – de radars routiers à Montréal (neuf dans toute la région), mais ils devraient tripler dans un proche avenir sur l'ensemble du Québec leur nombre passant à 56.

▶ Les limitations de vitesse

Les autoroutes sont limitées à 100 km/h (sauf en ville, 70 km/h); les routes, à 90 km/h. Dans Montréal, la vitesse ne doit pas excéder 50 km/h voire moins. Ainsi, certains arrondissements ont abaissé la vitesse dans leurs rues résidentielles à 40 km/h, mais il n'y a pas de panneaux partout (seulement sur les grands axes). Sur les routes, la police provinciale (Sûreté du Québec) est responsable de la surveillance du trafic; en ville, c'est le plus souvent la police municipale de Montréal (SPVM) qui vous verbalisera.

Conduite à la française vs conduite à la montréalaise

Les feux rouges (on dit « lumières » au Québec) sont placés comme en France, à droite ou au-dessus de la chaussée, mais de l'autre côté du carrefour. Il faut donc s'arrêter avant une bande blanche peinte sur le bitume hélas pas toujours visible. Sinon, on se retrouve devant le feu, mais en plein milieu de la route ! Il n'y a pas de priorité à droite au Québec ; les intersections sont protégées par des panneaux « Arrêt ». Et c'est le premier automobiliste arrivé qui redémarre le premier, une règle généralement respectée. (On peut ainsi se retrouver à quatre à un même carrefour à se faire des politesses d'où l'attention qu'il faut porter à l'ordre d'approche.) Brûler un feu rouge pour tourner à droite sur l'île de Montréal est prohibé, ce qui n'est pas le cas en dehors de l'île et dans le reste du Québec dès lors que l'on marque l'arrêt. Si vous n'êtes pas sur l'île de Montréal, vous pouvez « virer » à droite comme disent les Québécois. Ne soyez donc pas surpris d'être klaxonné alors que vous êtes immobilisé sur la file réservée au virage à droite. N'oubliez pas cependant de jeter un coup d'œil pour vous assurer qu'il ne vient pas de véhicule sur votre gauche puisqu'il sera lui au feu vert et le plus souvent lancé…

▶ Permis à mauvais points !

En France, un chauffard se voit retirer des points. Au Québec, le conducteur a au départ zéro point sur son permis et chaque infraction lui ajoute des points d'inaptitude. Le nombre de ces points doit être inférieur à quatre si vous êtes apprenti conducteur ou avec un permis probatoire, à huit si vous avez moins de 23 ans ; à 12 si vous avez 23 ou 24 ans ; à 15 si vous avez 25 ans ou plus. Au-delà du quota au-torisé, votre permis vous sera retiré pour une durée de trois ou six mois, voire d'un an. Les points d'inaptitude restent inscrits au dossier de conduite durant les deux années qui suivent la date de la déclaration de culpabilité ou du paiement de l'amende.

▶ Amendes

Sur l'autoroute ou en ville, les amendes pour excès de vitesse vont de 15 à 1 950 $. Si vous êtes flashé à 130 km/h sur une autoroute, vous devrez débourser 105 $ et écoperez de deux points d'inaptitude ; à 160 km/h, ce sera 630 $ et dix points. Commise dans une zone de travaux routiers, votre amende double. Les autres infractions au Code de la route entraînent de deux à neuf points d'inaptitude. La loi est stricte ; il est donc préférable de la respecter. Autre conseil, on ne parlemente pas avec les policiers et personne – pas même le Premier ministre – ne pourra faire sauter votre PV !

Les célèbres bus jaunes

Au Québec, près de 575 000 enfants, soit 60 % des écoliers prennent place matin et soir à bord des quelque 9 500 autobus scolaires qui parcourent environ un million de kilomètres par jour ! Facilement reconnaissables à leur peinture jaune-orange et à leur allure rétro, ces autobus doivent être particulièrement respectés sur la route. Il est notamment formellement interdit de les dépasser ou de les croiser lorsque leurs feux clignotent ou qu'ils font usage de leur signal d'arrêt, qui se déploie sur le côté gauche du véhicule ; il faut s'immobiliser à plus de cinq mètres et attendre qu'ils replient leur signal d'arrêt. Dépasser ou croiser un bus scolaire dans un tel cas de figure donne neuf points d'inaptitude (trois points pour un feu rouge ou un stop grillés) et une amende de 200 à 300 $. La sécurité des enfants mérite bien cette sévérité.

Acheter une voiture

▶ Achat au comptant

Lorsque vous arriverez à Montréal, la voiture constituera probablement une de vos premières grosses acquisitions. Neuve ou d'occasion, si vous l'achetez dans un garage il sera possible de la payer comptant, à crédit ou encore en location à long terme. Sachez toutefois que, en tant que nouvel arrivant, votre historique de crédit (cf. *S'expatrier à Montréal,* « Les formalités administratives en arrivant ») ne vous permettra pas toujours de contracter un crédit auto.

Tout est alors affaire de négociation avec votre banquier… et en cas de refus vous devrez payer cash.

▶ Le marché de l'occasion

Pourquoi ne pas vous rabattre sur un véhicule d'occasion à un coût raisonnable en attendant de vous offrir la voiture de vos rêves ? Près de 50 % des Québécois optent pour cette solution et beaucoup, dans l'espoir de payer moins cher, préfèrent acheter à un particulier qu'à un revendeur ou à un garagiste.

▶ Un contrat pour se protéger

Sachez que la Loi sur la protection du consommateur ne régit pas les transactions entre particuliers. Cela signifie qu'un vendeur n'est pas obligé de fournir à l'acheteur une garantie de bon fonctionnement du véhicule. Pour vous éviter de mauvaises surprises, couchez par écrit toutes les modalités de la vente, et ce dans un contrat rédigé en bonne et due forme. On trouve des formulaires types sur le site de CAA Québec. Il est fortement conseillé

55

Saint-Denis

également de faire inspecter le véhicule d'occasion par un mécanicien. Si le vendeur ne peut vous montrer et vous fournir une copie du contrat initial d'achat de la voiture, consultez le Registre des droits personnels et réels mobiliers afin de vérifier qu'elle n'est pas gagée. Cela ne coûte que quelques dollars et vous assurera de ne pas avoir à la payer deux fois ou de vous la faire saisir.

▶ Transfert de nom

Il vous reste ensuite à transférer le véhicule à votre nom. Le

Infos pratiques

▶ Office de la protection du consommateur
www.opc.gouv.qc.ca

▶ Association canadienne des automobilistes
www.caaquebec.com

▶ Registre des droits personnels et réels mobiliers
www.rdprm.gouv.qc.ca

▶ Société de l'assurance automobile du Québec
www.saaq.gouv.qc.ca

À vélo

Le vélo est populaire à Montréal. Dès l'arrivée des beaux jours, les cyclistes sillonnent les rues. La ville compte un réseau cyclable de plus de 650 km constitués de pistes et de bandes réservées qui devrait encore se développer dans les années à venir. Mais la véritable vedette de Montréal, c'est Bixi. Lancé en 2009, ce système de vélos éponymes en libre-service est aujourd'hui un des plus importants au monde avec, en 2013, 5 125 Bixi et 450 stations. En raison des intempéries de l'hiver, l'entreprise ferme ses portes de mi-novembre à mi-avril. L'abonnement coûte 82,50 $ pour un an; 31,25 $ pour 30 jours; 5 $ pour 24 heures. Les utilisateurs profitent des premières 45 mn gratuites, pour atteindre l'heure il faudra débourser 1,75 $, 3,50 $ pour les 30 min suivantes et 7 $ par demi-heure supplémentaire. Il est également possible de rouler en Bixi « à la carte », sans être membre avec des accès 24h à 7$ et 72h à 15$. Cette fois, seules les premières 30mn sont gratuites, puis les tarifs évoluent comme pour les membres.
montreal.bixi.com

mieux est de vous rendre avec le vendeur dans un centre de service de la Société de l'assurance automobile du Québec. Cela permettra d'entériner la cession. L'acquéreur doit payer la taxe de vente du Québec (TVQ) sur le prix réel du véhicule. Bonne nouvelle, il n'y a pas d'impôt fédéral (TPS) sur les transactions entre particuliers, contrairement à un achat chez un commerçant.

Les transports au départ de Montréal

▶ L'avion

L'aéroport Montréal-Trudeau, que beaucoup continuent d'appeler Dorval du nom de la ville où il est situé, dans l'Ouest-de-l'Île, est le deuxième du pays derrière Toronto. Il accueille la plupart des grandes compagnies aériennes. Les principales à assurer des vols directs vers Paris sont Air Canada, Air France, Air Transat et Corsair (de mai à novembre). De mi-avril à mi-octobre, Air Transat effectue, en plus de celle vers Paris, des liaisons vers les plus importantes agglomérations françaises. Les tarifs évoluent constamment et les différences s'estompent entre ces quatre compagnies au gré des promotions. À vous donc de bien « magasiner » votre vol. Sachez toutefois qu'en juillet-août et en fin d'année les prix sont beaucoup plus élevés.

▶ Le train

Le transport ferroviaire des passagers est moins répandu en Amérique du Nord qu'en Europe. Et le Canada ne fait pas exception. Au Québec, le train le plus fréquenté relie Montréal à la ville de Québec plusieurs fois par jour avec la compagnie Via Rail. Cette liaison relie les deux centres-villes et traverse de belles campagnes. Le décor est particulièrement fascinant en hiver lorsque le train coupe les grandes étendues blanches immaculées. Toujours avec Via Rail, on peut, de Montréal, traverser le Canada d'est en ouest pour se rendre jusqu'à Vancouver : un trajet de près de 5 000 km en quatre jours et quelques heures, et surtout quatre nuits à bord, toute une aventure… Le train fait l'éloge de la lenteur ; en avion, cela ne prendrait que cinq heures et demie. On peut dans ce cas parler de tourisme ferroviaire plutôt que de transport.
www.viarail.ca

LA RÉUSSITE DE VOTRE INSTALLATION AU QUÉBEC COMMENCE AUJOURD'HUI

Avancez sereinement dans vos démarches
Développez votre approche réseau
Maîtrisez les enjeux interculturels

KENNEDY GARCEAU
Notre équipe franco-canadienne est membre de

Conseil en mobilité professionnelle Europe - Canada
www.kennedygarceau.com - contact@kennedygarceau.com

FUTUR IMMIGRANT • EXPATRIÉ • DIRIGEANT D'ENTREPRISE

Accompagnement à partir de votre pays d'origine

Projet professionnel

- Recherche d'emploi
- Valorisation des compétences
- Adaptation de votre CV
- Étude du marché de l'emploi
- Réseautage
- Préparation aux entretiens

Gestion de votre expatriation

- Immigration
- Protection sociale
- Santé
- Fiscalité
- Scolarisation des enfants
- Projet du conjoint

Formations en ligne - Conférences - Programmes personnalisés

Il ne fait aucun doute que la connaissance du tissu local canadien par Kennedy Garceau, ses connexions avec le « terrain » actuel de professionnels québécois est un plus. Sa force réside dans la connaissance du monde du travail des 2 côtés et l'agilité à nous orienter au sein de réseaux adaptés.

Nathalie Couillard-Nowak
Présidente Imfusion Canada

Kennedy Garceau m'a aidée à mieux positionner mon profil professionnel, à mieux comprendre le marché québécois et les différences culturelles. J'ai gagné un temps précieux, à la fois avant mon départ, et une fois arrivée à Montréal. Leur réseau reconnu, ainsi que leur suivi régulier, sont un support apprécié et nécessaire dans un tel projet.

Catherine Erny
Gestionnaire SIRH Bombardier

Développer son réseau à distance
avec la conférence en ligne GRATUITE

Inscrivez-vous sur
www.kennedygarceau.com/mag

L'offre de santé

▶ Un système public

Le système de santé québécois est public et financé par la fiscalité. Le gouvernement agit comme principal assureur et administrateur. Les soins sont en principe gratuits et accessibles à tous. Coûtant très cher au contribuable, ce système est pourtant loin d'être parfait et la comparaison avec la France est nettement favorable à cette dernière. Si on peut consulter un généraliste ou se faire opérer au Québec sans rien débourser, les délais sont souvent très longs dans les hôpitaux et on ne choisit pas son médecin. À Montréal, il existe également quelques cliniques privées qui permettent d'éviter les longs temps d'attente reprochés au système public. Attention, les coûts y sont très élevés !

▶ La Carte Soleil

Depuis 1974, la carte d'assurance maladie arbore en arrière-plan un beau coucher de soleil. C'est pourquoi tout le monde au Québec la désigne sous le nom de Carte Soleil. Pratique, elle permet d'éviter la plupart des dépenses de santé. Lorsque vous al-

lez à l'hôpital ou dans un centre de soins, il vous suffit de la montrer pour ne rien payer. Et comme le permis de conduire, elle fait office de pièce d'identité officielle, car elle comporte la photo de son titulaire et est mise à jour tous les quatre ans. Pour simplifier les démarches, on peut d'ailleurs renouveler sa Carte Soleil en même temps que son permis de conduire.

▶ Renouvellement

Pour que vous soyez couvert par le régime d'assurance maladie, votre carte doit être valide. Par conséquent, vous devez la faire refaire avant sa date d'expiration. Généralement, un avis de renouvellement vous est envoyé trois mois avant l'échéance. Si vous êtes résident temporaire, la validité de votre carte sera déterminée en fonction de la durée de votre séjour ou de vos documents d'immigration.

▶ Assurance voyage

Sauf exception, pour être couverte par l'assurance maladie, toute personne établie au Québec doit y être présente plus de la moitié de l'année. La Régie effectue des vérifications à ce sujet. Plus précisément, il faut totaliser moins de 183 jours d'absence dans une même année civile. Les séjours de trois semaines ou moins ne comptent pas dans ce calcul. Pendant son absence, l'assuré bénéficie des services

couverts par l'assurance maladie à l'extérieur du pays mais les remboursements sont plafonnés aux coûts pratiqués au Québec. Il est donc impératif de souscrire une assurance voyage, en général comprise dans les frais des cartes Visa, MasterCard, American Express. Enfin, si vous vous rendez en vacances en France, sachez qu'il est possible de consulter un médecin généraliste acceptant la Carte Soleil. Ils sont rares et exercent tous dans la région parisienne. On peut trouver leur adresse sur le site de l'ambassade du Canada en France.

▶ Des médecins regroupés

Au Québec et surtout à Montréal, les médecins ont une organisation de leur pratique différente de celle qui prévaut en France et exercent rarement seuls dans leur propre cabinet. Il est possible de recevoir des soins dans des groupes de médecine familiale, des cliniques médicales, des Centres locaux de services communautaires (CLSC) et dans les centres hospitaliers. Les services équivalents à SOS Médecins, avec des professionnels se déplaçant au domicile du malade, sont rares au Québec et peuvent ne pas être couverts par la Régie de l'assurance maladie. Il est donc important de s'informer avant de faire appel à ces services.

Fondé en 1898, le Sacré-Cœur est un hôpital francophone.

▶ Trouver son médecin

Il est fortement recommandé, à votre arrivée à Montréal, de s'adresser au Centre de santé et de services sociaux (CSSS) de votre quartier. On vous y informera des services médicaux disponibles dans votre milieu de vie et de la façon de s'inscrire à un médecin de famille. Contrairement à ce qui se passe dans l'Hexagone, on ne choisit donc pas vraiment son médecin au Québec et il est très difficile d'avoir un praticien attitré. La métropole manque de généralistes et le premier qui acceptera de vous prendre devra être le bon. En attendant, la plupart des nouveaux arrivants vont soit dans les CLSC (où il est conseillé d'arriver tôt le matin pour passer dans la journée), soit dans une clinique sans rendez-vous ou, encore, aux urgences de l'hôpital, ce qui n'est pas conseillé pour un simple rhume…

▶ Se renseigner auprès de son entourage

Trouver un médecin de famille demande patience et opportunisme. La voie officielle consiste à se rendre dans le CLSC de son quartier et à remplir un formulaire. Selon votre âge et votre état de santé, vous serez alors prioritaire ou non ; l'attente pourra être importante, et atteindre plusieurs années ! D'où la nécessité de sortir des sentiers battus. Par exemple en demandant dans votre entourage qui a un médecin de famille qui accepterait par miracle de nouveaux patients.

▶ Le journal de quartier

Il faut aussi se tenir informé en lisant régulièrement le journal de son quartier. Vous y apprendrez peut-être l'ouverture d'un groupe de médecine familiale (professionnels de la santé regroupés dans un même lieu) ou d'une clinique dont les praticiens pourraient vous accepter. Un seul mot d'ordre donc : bougez-vous et faites jouer le bouche à oreille, ce qui pourrait vous faire gagner du temps.

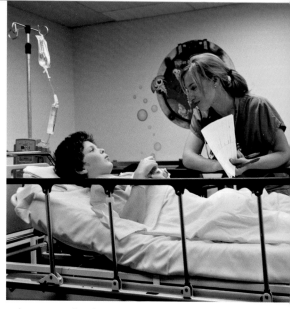

▶ Les alternatives

Si vous êtes jeune et en bonne santé, vous pouvez vous contenter des cliniques sans rendez-vous. Afin de vous éviter des heures d'attente dans une salle bondée, certains établissements proposent un service de rappel téléphonique (payant). Vous devez vous y inscrire sur place. On vous donnera alors un numéro, puis vous pourrez rentrer chez vous, car on vous téléphonera pour vous indiquer votre avancement dans la file. Lorsque votre tour approchera, il sera alors temps de regagner la clinique. Sachez aussi que pour voir un spécialiste, il faut obligatoirement être « référé » par un médecin de famille. Si vous n'en avez pas, profitez d'un rendez-vous à la clinique ou à l'hôpital pour demander une référence. Perdre une demi-journée juste pour obtenir ce bout de papier peut s'avérer énervant !

▶ Les 811 et 911

Le service téléphonique gratuit 811 (Info-Santé) du gouvernement du Québec permet de joindre 24h sur 24 un(e) infirmier(ère) en cas de problème non urgent en permanence. N'hésitez pas à appeler : on vous écoutera et pourra vous orienter vers une clinique si vous devez consulter. Pour une urgence, il faut composer le 911.

▶ Les soins non couverts

La plupart des soins sont pris en charge par l'assurance maladie hormis ce qui concerne les dents et la vue, toute chirurgie esthétique et certaines médecines douces. Il existe toutefois quelques exceptions. Par exemple, les enfants de moins âgés de dix ans sont couverts à 100 % pour les soins dentaires. Hâtez-vous donc de faire soigner les caries de vos bambins ! Les moins de 18 ans et les plus de 65 ans, eux, bénéficient de la gratuité chez les ophtalmologistes (appelés « optométristes » au Québec). Les autres devront souscrire une assurance privée parfois partiellement prise en charge par l'employeur (assurance collective).

▶ Choix du praticien

Comme ces soins ne sont pas couverts par la RAMQ, on peut choisir librement son dentiste ou son optométriste et faire jouer la concurrence au niveau des prix, notamment en ce qui concerne l'orthodontie – chère et rarement prise en charge par les assurances privées. Des soins dentaires

Les assurances de santé

Vous devrez souscrire vous-même une assurance santé si vous n'en disposez pas grâce à votre employeur ou celui de votre conjoint, si vous êtes travailleur indépendant, si vous avez des besoins spéciaux ou si voulez améliorer votre régime actuel. Les principales compagnies qui proposent de vous assurer sont la Croix Bleue, Manuvie, La Capitale, Sun Life, Desjardins… N'hésitez pas à comparer les polices proposées et à « magasiner » pour obtenir le meilleur prix en fonction des protections qui vous conviennent le plus.

à coût réduit sont donnés dans les cliniques universitaires, mais elles sont très fréquentées et, une nouvelle fois, vous ne choisirez par le praticien.

▶ Le RPAM

Les frais de médicaments sont administrés par le Régime public d'assurance médicaments (RPAM). Sont inscrits au RPAM les Québécois qui ne bénéficient d'aucune assurance privée ou collective, les plus de 65 ans et les prestataires d'assurance emploi ou d'aides sociales (équivalentes au RSA français). Qu'elles achètent ou non des médicaments, les personnes prises en charge par le régime public doivent payer une prime, collectée chaque année par le ministère du Revenu, à l'instar des autres charges

sociales (ce qui en quelque sorte les inclut dans vos impôts). Le montant de la prime annuelle varie de 0 $ à 611 $ par adulte selon le revenu familial net. Lorsqu'un assuré achète des médicaments couverts, il assume seulement une partie de leur coût. C'est ce qu'on appelle la contribution. L'autre partie est réglée par la Régie de l'assurance maladie.

▶ La santé des Canadiens

Dans son dernier palmarès, sur 17 pays industrialisés, le Conference Board (un laboratoire d'idées canadien spécialisé dans la recherche et l'analyse économique), ne classe le Canada qu'au dixième rang dans le domaine de la santé

Infos pratiques

▶ Régie de l'assurance maladie
www.ramq.gouv.qc.ca

▶ Santé et service sociaux
www.msss.gouv.qc.ca

▶ Info-Santé Québec
☎ **811**
www.info-sante.info

▶ Santé Montréal
www.santemontreal.qc.ca

▶ Liste des médecins français acceptant la Carte Soleil
www.ambcanada.fr
(rubrique « Services d'urgence »)

et le Québec est dans le peloton de queue des provinces canadiennes (l'Hexagone occupe lui la septième position). Cela ne veut pas dire que vous serez moins bien soigné au Québec qu'en France, mais que l'état de santé de sa population pourrait être encore amélioré.

La sécurité

Depuis 1997, la Ville a développé une police de proximité pour se rapprocher encore plus des citoyens : 33 postes de quartier sont chargés d'assurer la sécurité urbaine.

▶ Une ville sûre

À l'image du Québec, Montréal est sûr. Il est possible de s'y promener à toute heure du jour ou de la nuit sans grand risque. Mais si la ville s'enorgueillit d'afficher l'un des taux les plus bas de criminalité en Amérique du Nord (elle se place au 22e rang des villes canadiennes les plus dangereuses), elle possède le plus élevé du Québec. Malgré l'impression de sécurité qui règne, il convient de rester prudent et de ne pas laisser traîner ses affaires à la vue des voleurs. Si les vols à la tire sont relativement rares, les vélos sont fréquemment dérobés et de nombreuses voitures, cambriolées.

▶ Des chiffres rassurants

Montréal compte en moyenne un peu plus d'une trentaine d'homicides par an (28 en 2013) contre une centaine à Paris. Les crimes contre la propriété, les cambriolages, les vols de véhicules ont considérablement baissé. La criminalité à Montréal a diminué de 18% au cours des dix dernières années et de 44% depuis 1991. En 2008, neuf Montréalais sur dix (92%) jugeaient leur quartier globalement sûr tandis que 38% se disaient inquiets de marcher seuls le soir dans leur quartier, une proportion qui tombe à 5,5% le jour. Un résident sur trois (36,5%) déclare qu'il lui arrive d'éviter un secteur, un parc ou une ruelle.

▶ La police municipale

La ville possède son propre corps de police dont la mission est de protéger la vie et les biens des citoyens, de maintenir la paix et la sécurité publique, de combattre le crime et de faire respecter les lois et règlements en vigueur. Le Service de police de la ville de Montréal (SPVM) est constitué de 4 500 agents dont la présence est rassurante sans être oppressante; une forte majorité de Montréalais (83%) pense que les policiers font bien leur travail. Depuis 1997, le SPVM a développé une police de proximité pour se rapprocher encore plus de la population. Ainsi, ce sont 33 postes de quartier qui sont chargés d'assurer la sécurité urbaine. Cette police dite « communautaire » a également engagé des partenariats et des politiques d'ouverture avec les diverses communautés de la ville.

▶ Des tensions limitées

Les émeutes du quartier Montréal-Nord, en 2008, durant lesquelles huit véhicules furent incendiés, des vitrines et des Abribus fracassés ou vandalisés et des policiers blessés, firent, pendant plusieurs semaines, la une des journaux et marquèrent les esprits des Montréalais, pas du tout habitués à ce genre d'événement. Depuis, aucun incident d'une telle ampleur ne s'est déroulé et l'on est bien loin à Montréal des tensions entre communautés qui s'accentuent dans un grand nombre de quartiers de villes françaises. À Montréal, l'habitat vertical est d'ailleurs peu développé dans les secteurs dits populaires, qui, au contraire, sont principalement constitués de petits immeubles ou de maisons individuelles.

▶ Pas de banlieue à risque

Contrairement à beaucoup de grandes agglomérations européennes, les banlieues montréalaises n'hébergent pas d'importants îlots de pauvreté ou de chômage. Il n'existe pas ici de grands ensembles. Bien au contraire, la banlieue est traditionnellement le territoire de la classe moyenne. De nouveaux périmètres très chics et très chers, notamment en bord de rivière, de lac ou de terrain de golf, y ont même émergé ces dernières années. Résider en banlieue n'est pas une obligation dictée par la seule contrainte économique, c'est plutôt un choix de vie où, justement, les faibles taux de criminalité et la sécurité plus grande que dans certains quartiers de Montréal entrent en compte.

▶ Mafias et gangs de rue

C'est une des particularités de la ville. Si la petite délinquance est plutôt faible, le milieu du crime organisé s'est toujours épanoui dans la métropole. Les Québécois se souviennent encore de la guerre entre les bandes de motards Hell's Angels et Rock Machine qui, entre 1994 et 2001, fit 126 victimes. Les mafias d'origine italienne sont également présentes, à l'image du clan calabrais Cotroni ou de la famille Rizzuto originaire de Sicile. Les gangs de rue, implantés à Montréal au milieu des années 80, se sont rapidement développés. On en dénombre une vingtaine répartie en deux groupes qui s'opposent et se partagent la ville : les

Crips (associés à la couleur bleue) et les Bloods (couleur rouge). Des frappes policières ont ciblé ces dernières années les groupes de motards (opération SharQc), le crime organisé

Infos pratiques

▶ Service de police de la ville de Montréal
www.spvm.qc.ca

▶ Les gangs de rue et la prévention chez les jeunes
www.gangsderue.gouv.qc.ca

italien (opération Colisée). Enfin, une escouade spéciale, Éclipse, a pour mission de prévenir les actes de violence et d'enquêter sur les groupes criminels comme les gangs de rue.

▶ La sécurité dans le métro

Neuf utilisateurs sur dix jugent que le métro de Montréal est un endroit sûr. D'après les usagers, les points noirs y sont le vandalisme (45 %), les mendiants et les SDF (33 %), les attroupements de jeunes (32 %), les gangs de rue (18 %). En 2007, les services de police de Montréal ont mis sur pied la Division du réseau transport en commun (DRTC), qui rassemble environ 130 fonctionnaires dédiés à la surveillance et à la sécurité du métro. Leur travail y a fait baisser de 36 % les crimes graves et l'ensemble des délits contre la personne et la propriété, avec notamment une diminution des vols à la tire. Quelque 2 000 caméras de surveillance scrutent les 68 stations du réseau, un chiffre qui va doubler lors de la mise en service progressive des nouvelles rames. Aujourd'hui, le métro de Montréal est l'un des moins dangereux du Canada.

Géographie de la criminalité

Au palmarès de la criminalité, on trouve le territoire englobant les secteurs Petite-Bourgogne, Pointe-Saint-Charles, Saint-Henri, Ville-Émard, Côte-Saint-Paul. Ces quartiers du sud-ouest sont talonnés par Hochelaga-Maisonneuve et Montréal-Nord. Les périmètres les plus sûrs sont ceux de l'ensemble de l'Ouest-de-l'Île (Dorval, Pointe-Claire, Kirkland, Sainte-Anne-de-Bellevue, l'île Bizard…), de Saint-Laurent, Mont-Royal, Outremont. Le résultat est plus surprenant en ce qui concerne les crimes contre la propriété (vols), car les quartiers les plus atteints sont Plateau-Mont-Royal, la Petite-Italie, Rosemont-la-Petite-Patrie, les secteurs du sud-ouest et Westmount… et les moins touchés Côte-des-Neiges, Saint-Laurent et à nouveau les quartiers de l'Ouest-de-l'Île. Parmi les périmètres tranquilles, Ahuntsic, Saint-Léonard, Anjou, NDG et le centre-ville se classent dans la bonne moyenne. Encore une fois, il n'existe pas à Montréal de secteurs de non-droit où il serait périlleux de se rendre de nuit comme de jour.

Votre nouvelle vi))e

est dans « Les guides s'installer à »

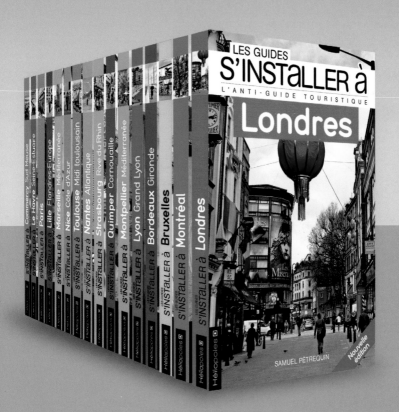

Se loger à Montréal

Le marché et le parc immobiliers

Il est facile de trouver un logement à Montréal. Ici, le quartier de la Petite-Bourgogne.

▶ Premier contact

Se loger, c'est LA bonne nouvelle de votre installation à Montréal ! Ici, pas de files d'attente interminables pour les candidats à une location, pas de propriétaire exigeant une caution des parents, pas de mois d'avance à verser et, cerise sur le gâteau, des frais d'agence à la charge du loueur. Certes, les propriétaires ont le droit de vérifier votre solvabilité mais, pour un néo-Montréalais, un relevé bancaire prouvant l'existence d'économies ou la preuve de l'obtention d'un travail suffira. Revers de la médaille : il existe des protections contre les mauvais payeurs. Ainsi, tout loyer est dû le 1er du mois et le propriétaire est en droit d'intenter une action dès le 2 !

Par ailleurs, un locataire ne peut pas quitter son appartement en cours de bail (dont la durée est généralement de 12 mois) même avec un préavis, comme en France. S'il veut partir, il doit céder son bail à un autre locataire (charge à lui de le trouver) ou alors sous-louer (avec l'accord du propriétaire). S'il ne trouve personne, il devra s'acquitter du loyer jusqu'à la fin du bail, sous peine de poursuites.

▶ Annonces sur le Net et journaux

En 2014, le taux d'inoccupation à Montréal oscillait entre 2,1 et 3,4 % selon le type de logement, les plus recherchés étant les grands appartements de trois chambres, les moins demandés, les studios. Détail important : les agences immobilières privilégient l'acquisition et proposent donc peu de locations. Il faut parcourir les annonces sur Internet et les sites spécialisés, la presse quotidienne du samedi (*La Presse, Le Journal de Montréal*) ou, encore, les journaux gratuits tels que *Voir, Metro* ou *24 Heures*. Autre moyen efficace : louez une voiture et circulez dans les rues (en dehors des heures de pointe). Tout en vous baladant, notez les numéros de téléphone des multiples pancartes « à louer » accrochées aux maisons et appartements. Si vous avez un coup de cœur, prenez votre portable et téléphonez tout de suite! En quelques minutes, l'affaire peut être conclue par une simple poignée de mains.

▶ Prix, surface et... système métrique

Le montant des loyers varie évidemment d'un secteur à l'autre. Le coût d'un appartement (condominium) dans une grande tour moderne du centre pourra ainsi atteindre plus du double de celui d'un logement de même surface dans un quartier populaire et excentré, dans l'est de la ville, par exemple. Attention! Ne cherchez pas de mention de mètre carré dans les annonces: la mesure des logements se donne en nombre de pièces et, quand la surface est mentionnée – cela bien que le système métrique soit officiellement en vigueur au Canada depuis les années 1970 –, elle est le plus souvent exprimée en pieds carrés (*square feet* en anglais): un pied carré vaut $0,093\ m^2$. Un logement de 700 pieds carrés fait donc $65,1\ m^2$. Pour faciliter les calculs, arrondissez en ajoutant ou en retirant un zéro selon le sens de

Décrypter les annonces

Condominium. Appartement situé dans un immeuble en copropriété. Il est le plus souvent habité par son propriétaire.

Appartement. C'est généralement un logement à la location dans un immeuble appartenant à un seul et même propriétaire.

Triplex ou duplex. Maison de deux ou trois étages, chaque étage étant habité par des personnes différentes.

2 ½, 3 ½, 4 ½. C'est le nombre de pièces du logement (la salle de bain comptant pour une demi-pièce). Ainsi, un 3 ½ correspond la plupart du temps à une chambre; un 4 ½, à deux chambres, etc.

Semi-meublé. L'équipement électroménager de base (cuisinière, réfrigérateur, parfois machine à laver et sèche-linge) est fourni et inclus dans le loyer.

Chauffé ou non chauffé. Le coût du chauffage est intégré ou pas dans le loyer.

Éclairé. L'électricité est incluse, mais pas le chauffage.

Eau chaude. Le coût de l'eau chaude est compris dans le loyer. À noter que l'eau froide est gratuite à Montréal.

Pl. B.F. (Plancher de bois franc). un parquet.

Poêle. Une cuisinière.

conversion: 700 pieds carrés équivalent à $70\ m^2$ environ. Quoi qu'il en soit, rassurez-vous: dans la majorité des cas, les logements sont plus spacieux à Montréal qu'en France.

▶ La colocation

La colocation est un passage quasiment obligé pour les étudiants ou ceux à la recherche d'un premier logement. On trouve des offres de colocation sur Internet, dans les journaux ou sur les «babillards» (panneaux d'affichage) des universités. Pour les nouveaux arrivants, il existe aussi un réseau d'auberges de jeunesse et les facultés McGill, Concordia, Uqam (Université du Québec à Montréal), de même que celle de Montréal, ouvrent leurs cités U de mai à août.

▶ Les formalités, le bail

Lorsque vous aurez arrêté votre choix, il ne vous restera plus qu'à signer le bail. Rien de plus facile: les formulaires de la Régie du logement sont en vente dans la plupart des librairies et même dans les pharmacies au coût de deux dollars. Parfois, si vous faites part de votre intérêt lors de la visite, le propriétaire

▌ Bonne nouvelle pour les locataires, ce sont les seuls propriétaires qui s'acquittent des impôts municipaux.

Acheter peut s'avérer plus judicieux pour qui compte s'installer durablement.

vous demandera de remplir une offre de location, un document dans lequel vous fournirez les renseignements qui lui permettront de vérifier votre solvabilité et éventuellement vos antécédents de location. L'acceptation du propriétaire conduit ensuite à la signature du bail. Celui-ci est en général d'une durée d'un an et renouvelable automatiquement sauf préavis (un à deux mois au maximum). Il n'y a ni plafond ni taux fixes pour les augmentations de loyer. Chaque année, la Régie du logement publie cependant une estimation moyenne des hausses à venir, qui fluctuent en fonction du type de chauffage (s'il est à la charge du propriétaire

ou pas), de la variation des taxes et de l'ensemble des coûts d'exploitation de l'immeuble. Aussi, un locataire qui a reçu un avis d'augmentation en dehors de ces estimations est en droit le contester. Si aucun accord n'est trouvé, le propriétaire peut demander à la Régie du logement de fixer le loyer. Après une période de hausse prononcée entre 2000 et 2010, il semble que l'augmentation du prix des loyers se stabilise quelque peu : la hausse du loyer moyen à Montréal a été de 1,7 % en 2013.

▶ Acquisition ou location ?

Il est évidemment déconseillé d'acheter au cours de la première année d'installation. Mieux vaut poser ses valises et se donner le temps de la réflexion. Cependant,

selon votre situation, l'achat peut être plus intéressant que la location si vous décidez de rester ici un certain nombre d'années.

▶ Les prêts, l'accessibilité

Au Québec, les prêts hypothécaires sont habituellement d'une durée de cinq ans ou moins. Des taux d'intérêt fixe ou variable s'appliquent pendant la durée de l'emprunt, qui peut être renouvelé à son échéance. Les conditions d'accès à la propriété ont été redéfinies en juillet 2012 afin de favoriser l'épargne et limiter l'endettement des ménages. Ainsi, le montant maximal pouvant être emprunté ne doit pas excéder 80 % de la valeur de l'habitation. La période d'amortissement ne peut pas être supérieure à 25 ans. Et les banques estiment en général que la part que les ménages consacrent au logement ne doit pas excéder 39 %. Enfin, lorsqu'un client dispose d'un apport de moins de 20 %, le gouvernement du Canada exige que l'emprunt soit assuré contre le défaut de paiement. Cette prime d'assurance hypothécaire correspond à un pourcentage établi en fonc-

Prix moyen à la location des appartements de deux chambres en avril 2013

Montréal	719 $ (de 600 à 1 300 $ selon les quartiers)
Toronto	1 202 $
Vancouver	1 255 $
Canada	911 $

(Source : Société canadienne d'hypothèques et de logement)

Prix moyen à l'achat des logements en septembre 2013

Montréal	323 000 $
Toronto	534 000 $
Vancouver	786 500 $
Canada	386 000 $

(source : Association canadienne de l'immeuble)

1er juillet : tout le monde déménage (ou presque) !

Le Québec est probablement le seul endroit au monde où l'on déménage à une date fixe. Ici, environ 300 000 personnes quittent leur logement chaque 1er juillet, et près d'un habitant sur cinq à Montréal. 70 % des baux du Québec entrent en vigueur le 1er juillet. C'est un peu si comme des milliers de personnes se mettait à jouer le même jour au jeu des chaises musicales. Chaque locataire cède sa place, immédiatement prise par un autre, tout en en espérant que son prédécesseur aura déjà sorti ses affaires… Tout est affaire de logistique et cela exige beaucoup de civisme et de compréhension de la part des sortants comme des entrants. Organisation et efficacité sont les maîtres mots et le temps est le grand ordonnateur de cette journée pas comme les autres. Néanmoins, cette tradition du 1er juillet s'effrite au fil des années avec des déménagements étalés de mai à septembre. Si vous voulez changer de domicile à une autre période, ne vous inquiétez pas. De nombreux baux débutent en septembre et le reste de l'année. À savoir pour ceux qui peuvent déménager en hiver : le prix des déménageurs professionnels peut être moitié moindre.

tion de la somme empruntée et de l'importance de la mise de fonds. Plus le rapport entre le prêt et le prix du bien est grand, plus le pourcentage servant au calcul de la prime est élevé : il peut ainsi varier de 0,6 % à 3,35 %. Par exemple, pour une propriété d'une valeur de 400 000 $ et un apport de 15 % (60 000 $), soit un rapport de 85 % (340 000 divisé par 400 000), le montant de la prime d'assurance sera de 5 950 $ (340 000 multiplié par 1,80 %).

▶ Le droit de mutation immobilière

C'est une taxe appliquée au Québec depuis le 1er janvier 1992 dont doit s'acquitter l'acheteur d'un bien immobilier. Communément appelée taxe de Bienvenue — du nom de l'ancien ministre Jean Bienvenue et non pas une façon de vous souhaiter un bon accueil ! —, elle s'applique une seule fois, lors de l'achat, et est perçue par les municipalités. Ces droits de mutation s'ajoutent à l'ensemble des taxes foncières annuelles qui financent les dépenses de la ville. Elle est calculée sur le montant le plus élevé entre le prix de vente et la valeur selon l'évaluation municipale. Par exemple, pour un logement de 400 000 $ acheté à Montréal, elle s'élèvera à 4 300 $.

▶ Les taxes municipales

Au Québec, les impôts municipaux sont composés des taxes municipales (qui incluent l'impôt foncier et les diverses contributions correspondant aux services offerts par la ville) et de la taxe scolaire (que l'on ait ou non des enfants). Ces sommes, dont le montant est calculé sur une estimation du bien, sont dues par les propriétaires seulement. Ainsi, en 2012, pour un logement évalué à 400 000 $, les contributions municipales ont été de 4 000 $ (1 %), la taxe scolaire de 880 $ (0,22 %). Les taux des impôts municipaux sont déterminés annuellement dans le budget de fonctionnement de la ville et varient en fonction des différents arrondissements, qui gèrent de façon autonome une partie de ce budget. À noter: les quartiers chics ne sont pas forcément ceux qui taxent le plus les contribuables. Ainsi, en 2013, pour un logement évalué à 400 000 $, les contributions municipales seront d'environ 3 600 $ (0,9 %), la taxe scolaire de 800 $ (0,20%).

Acheter une première maison

L a plupart des acheteurs d'une première maison doivent contracter une hypothèque, c'est-à-dire un emprunt de fonds. Il existe nombre de calculatrices et d'outils en ligne, comme la calculatrice de RBC « Combien puis-je me permettre de payer » qui peuvent vous aider à évaluer le montant que vous êtes prêt à investir. L'une des premières difficultés est de rassembler une mise de fonds suffisante. Pour y parvenir, vous pouvez adopter plusieurs stratégies : automatiser votre épargne en procédant à des cotisations automatiques périodiques sur un compte distinct, cotiser à un compte d'épargne libre d'impôt (Celi) ou encore établir un régime enregistré d'épargne–retraite (REER). Le régime d'accession à la propriété du gouvernement fédéral permet en effet aux acheteurs d'une première maison d'utiliser leurs fonds REER comme mise de fonds pour l'achat. N'hésitez pas avant toute démarche de vous rapprocher d'un conseiller en prêts hypothécaires.

> **Pour en savoir plus : https://hypotheque.rbc.com/**

Infos pratiques

▸ **Sites Internet de location**
www.lespac.com
montreal.kijiji.ca
montreal.fr.craigslist.ca
www.toutmontreal.com
www.cherchetrouve.ca
(le site du magazine *Voir*)
www.hostels.com/fr/montreal
/canada (pour trouver
une auberge de jeunesse)

▸ **Journaux qui diffusent
des annonces**
Voir (gratuit)
Metro (gratuit)
24 Heures (gratuit)
Le Journal de Montréal
La Presse

▸ **Colocation**
montreal.kijiji.ca
montreal.fr.craigslist.ca
Ces deux sites proposent
gracieusement des annonces
de colocation. Attention
dans ce domaine
aux sites payants qui sont
souvent des coquilles vides
voire parfois des arnaques.
Les « babillards » (panneaux
d'affichage) des universités
constituent un bon moyen
de trouver une colocation.

▸ **Électricité**
Hydroquébec
☎ 514 385 72 52

▸ **Gaz**
Gaz métropolitain
☎ 514 598 32 22

▸ **Vos droits et obligations**
Régie du logement
www.rdl.gouv.qc.ca

▸ **Guide du consommateur
canadien**
www.guideduconsommateur.ca

▸ **Acheter un logement**
www.cmhc-schl.gc.ca
La Société canadienne
d'hypothèques et de logement
(SCHL) fournit sur son site
un guide très complet,
étape par étape, pour
qui souhaite acquérir son
logement avec notamment
divers calculateurs en
ligne : budget, capacité
d'emprunt, remboursements,
prime d'assurance
hypothécaire, etc.

Quel Montréal vous correspond ?
1. Le Montréal chic

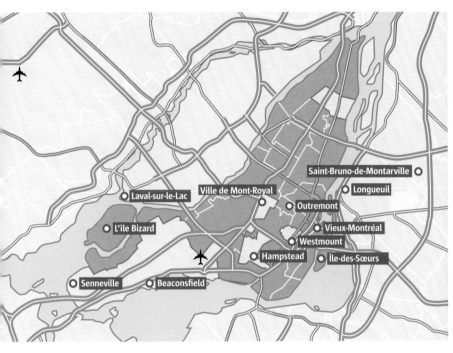

Saint-Bruno-de-Montarville ○
Longueuil ○
Ville de Mont-Royal
Outremont ○
Laval-sur-le-Lac ○
○ Vieux-Montréal
L'île Bizard ○
Westmount ○
Hampstead ○ Île-des-Sœurs ○
Senneville ○ Beaconsfield ○

▶ **Ville-Marie (le centre et le Vieux-Montréal)**

Contrairement à d'autres grandes cités nord-américaines, Montréal a conservé de nombreux secteurs résidentiels et son centre est le plus habité du Canada. Le logement y est varié puisqu'on y trouve à la fois de superbes maisons victoriennes, des lofts aménagés dans d'anciens entrepôts ainsi que d'inévitables tours d'habitation majoritairement luxueuses, voire très luxueuses. Ville-Marie, périmètre hyperurbain, vibre au rythme des affaires tout en étant un haut lieu touristique. Vivre au centre-ville, c'est habiter au cœur de l'action tout en respirant les traces de l'histoire. Ville-Marie compte une dizaine de secteurs dont les plus connus sont le centre des affaires et le quartier international, Chinatown, le quartier des spectacles, le Quartier Latin, le Vieux-Montréal, Shaughnessy ou, encore, le Village gay. On s'y déplace facilement à pied, en métro ou en Bixi, le vélo en libre-service. Il est plus difficile en revanche d'y garer sa voiture et le coût d'un parking grève sérieusement le budget. Le prix d'un appartement d'une seule chambre (de 50 à 60 m²) atteint vite ici les 250 000 $ et c'est encore plus cher dans le Vieux-Montréal, où l'offre est moins importante. De nombreuses tours d'habitation ont été construites ces dernières années dans Ville-Marie et beaucoup d'autres sont en projet. Ce sont la plupart du temps des condominiums sélects où il n'est pas rare de bénéficier, outre d'une place de stationnement souterrain, d'une salle de sport et d'une

Se loger à Montréal

Le Vieux-Port, centre historique de Montréal.

Chic et paisible, Outremont est très couru

piscine. Pour louer un tel appartement, comptez approximativement 1 500 $ par mois pour une surface de 60 à 70 m². Que ce soit dans sa partie moderne ou historique, Ville-Marie attire peu les familles: 16,5 % seulement des ménages y ont des enfants (34 % pour l'ensemble de Montréal). Cet arrondissement séduit surtout les jeunes couples branchés des affaires, de la pub, du multimédia ou, encore, les babyboomers aisés ayant vendu leur vaste maison de banlieue pour se rapprocher du centreville quand leurs enfants ont quitté le nid familial.

▶ Outremont

Installé au nord du mont Royal et à l'ouest de l'avenue du Parc, cet arrondissement paisible et chic de Montréal est l'un des plus recherchés, et par conséquent l'un des plus onéreux. Il se distingue par ses belles rues ombragées bordées de maisons patrimoniales individuelles ou jumelées. Dans le haut Outremont, sur les flancs de la Montagne (c'est le surnom donné au mont Royal), se dressent de belles villas parfois centenaires très prisées des riches francophones. Une balade sur l'avenue Maplewood vous donnera un aperçu de ce Montréal opulent. La partie d'Outremont qui s'étale entre le chemin de la Côte-Sainte-Catherine est d'un luxe moins ostentatoire, mais se distingue par sa verdure omniprésente le long des rues ou ses nombreux espaces verts. Aux alentours des parcs Saint-Viateur, Outremont, Beaubien, Pratt ou Joyce, les tarifs flambent. Il est toutefois possible dans cette partie basse du quartier de trouver des triplex (immeubles à trois niveaux) à acheter ou à louer. Pour une maison, comptez à l'achat un minimum de 800 000 $ et entre 1 500 et 2 000 $ pour un étage de triplex à la location… Plus au nord, entre l'avenue Van-Horne et l'ancienne gare de triage, continuent de s'élever des immeubles haut de gamme qui diversifient l'offre locative. Ce qui fait aussi le charme d'Outremont, outre son côté bourgeois et vert, c'est la présence des rues commerçantes Laurier, Bernard et Van-Horne qui rassemblent des dizaines de restaurants et boutiques raffinées. De nombreux Français se sont installés à Outremont et notamment des familles plutôt aisées avec deux ou trois enfants. Il faut dire que le quartier compte quelques-unes des meilleures écoles publiques et privées de la région, tel le célèbre collège Stanislas, membre du réseau des lycées français de l'étranger. Dans les boulangeries et sur les terrasses de la rue Bernard, il est courant d'entendre parler le « fran-

Redpath Crescent et ses demeures cossues.

çais de France », comme on le qualifie ici. Avec le Plateau-Mont-Royal, Outremont est le périmètre qui attire le plus de Français.

▶ Westmount

Situé de l'autre côté du mont Royal, sur son versant sud-ouest, non loin du centre-ville, Westmount est sans nul doute le quartier le plus prestigieux de la métropole. C'est l'équivalent anglophone d'Outremont : même superficie (environ 4 km^2) et même population (un peu plus de 20 000 habitants), mais Westmount est plus luxueux, et donc plus cher. Comme à Outremont, la taille et le prix des maisons ont tendance à augmenter à mesure que l'on se rapproche du sommet de la Montagne. Dans les rues qui entourent le parc Summit, classé réserve naturelle, les demeures ont l'air de petits châteaux. Ici rien en dessous du million

de dollars… La basse ville offre en revanche un choix plus varié et relativement plus abordable aux abords de la rue Sherbrooke ou de l'avenue Greene, deux grandes artères commerciales. Pour louer une maison ou un bel appartement à Westmount, comptez tout

L'anglophone Westmount.

de même environ 4 500 $ par mois. Comme à Outremont, les établissements scolaires de Westmount sont réputés, mais ce sont des écoles anglophones et donc non ouvertes aux élèves dont la langue maternelle n'est pas l'anglais (cf. *Enfance et scolarité*).

▶ L'île Bizard

Pour qui apprécie la nature et les alentours des terrains de golf, l'île Bizard, au nord-ouest de Montréal, constitue une destination de choix. On y accède par un pont depuis le boulevard Gouin. L'île, d'une superficie de 23,6 km^2, accueille environ 18 000 habitants. Autrefois terre agricole, elle est devenue un lieu de résidence privilégié, surtout aux abords des berges du lac des Deux-Montagnes et des deux prestigieux terrains de golf construits à la fin des années 1950 : le Royal

Nombre de Français s'installent à Outremont.

La banlieue sud de Montréal a aussi s

Montreal Golf Club et l'Elm Ridge Country Club. Sur le chemin du bord du lac, on trouve les plus belles demeures de la métropole, sortes de châteaux modernes. Certaines résidences dépassent de beaucoup les 5 millions de dollars. L'ancienne Première ministre Pauline Marois (élue en septembre 2012) et son conjoint possédaient à l'île Bizard un manoir qu'ils ont revendu en 2013 pour 6,5 millions de dollars. L'île compte peu d'immigrants et c'est l'arrondissement le plus bilingue de Montréal puisque sept personnes sur dix y sont capables de tenir une conversation aussi bien en français qu'en anglais. La maison individuelle est l'habitation la plus répandue. Il y a peu d'immeubles et aucun de plus de cinq étages, ce qui limite l'offre locative. L'île ne compte d'ailleurs que

25 % de locataires. Dans la partie « village » de l'île, les bâtisses sont plus classiques et moins luxueuses tandis qu'à l'ouest, le ticket moyen des maisons individuelles s'affiche aux alentours 400 000 $. On peut encore trouver de petits bungalows pour moins de 300 000 $, mais ils se font rares. Les îliens apprécient tout particulièrement la quiétude ainsi que le côté familial du lieu. Sur les nombreux sentiers pédestres et les pistes cyclables, il n'est pas rare de croiser des chevreuils (cerfs de Virginie) ou des renards. Occupant une grande partie de l'île, le parc du Bois-de-l'Île-Bizard et ses 200 ha réunissant marais et forêt permet de belles balades été comme hiver. Seul point noir à ce tableau idyllique, les bouchons matin et soir pour sortir de l'île et y entrer

ainsi que l'éloignement du centre-ville. Ici, un véhicule s'impose.

▶ Saint-Bruno-de-Montarville

Nichée dans un cadre enchanteur au pied du mont Saint-Bruno, cette petite ville de la banlieue sud de Montréal attire les familles plutôt aisées en quête de plein air et de tranquillité. De l'avis des Montarvillois, il fait bon vivre à Saint-Bruno. Tout d'abord, en raison de son environnement naturel et en premier lieu du parc national du Mont-Saint-Bruno. Cinq lacs, un verger, un moulin historique et des dizaines de kilomètres de sentiers en font un îlot de verdure en milieu urbain des plus prisés. L'été, on s'y promène à pied profitant de son air frais et l'hiver, à raquette ou à ski de fond. Jouxtant le parc, une petite station de ski al-

...artiers sélects.

Senneville, synonyme d'opulence et faiblement construit.

pin compte une quinzaine de descentes qui dévalent le long de la face nord de la petite montagne. Beaucoup de Montréalais se sont initiés à ce sport de glisse dans ce lieu familial, à seulement 15 km de la métropole. Pour ajouter à son côté nature, la ville ne compte pas moins de 25 parcs municipaux et ses rues sont très arborées. Cette qualité de vie a son prix. Le coût des maisons dépasse ici largement celui de Longueuil, la grande cité banlieusarde voisine, et de bon nombre d'autres villes avoisinantes. Le tarif moyen d'une maison dans la banlieue sud de Montréal est d'environ 300 000 $, mais l'achat d'une propriété à Saint-Bruno-de-Montarville vous coûtera, toujours en moyenne, quelque 50 000 $ de plus. Si l'immobilier a d'ailleurs flambé ces dix dernières années dans ce coin chic de

la couronne montréalaise, il semble aujourd'hui se stabiliser. Côté transport, il faut compter environ une demi-heure pour se rendre en voiture à Montréal, mais c'est sans compter avec les nombreux embouteillages qui encombrent aux heures de pointe les ponts Jacques-Cartier, Victoria et Champlain ou le tunnel Louis-Hippolyte-La-Fontaine. Il est possible toutefois de contourner le problème en se rendant à la station de métro de Longueuil qui possède un grand parking et n'est qu'à quelques minutes du centre par la ligne Jaune.

Les autres quartiers chics

Hampstead, ville de Mont-Royal, Senneville, Beaconsfield, L'Île-des-Sœurs, Laval-sur-le-Lac.

❝ *Ma femme ayant trouvé un travail à Saint-Bruno-de-Montarville, nous nous sommes embarqués à la découverte de la Rive Sud, celle des ponts encombrés le matin qui rejoignent cette fameuse rive à l'île de Montréal, celle des "banlieusards" pour qui ne veut pas sortir du Plateau ou des douceurs d'Outremont... Saint-Bruno est une ville extrêmement verte et boisée où le végétal domine de ses ombrages rues et maisons et où le nombre de parcs séduit très rapidement les jeunes familles en quête de verdure. Saint-Bruno, c'est l'anti-tout asphalte, l'anti-centres commerciaux tous azimuts ainsi que le refus d'une urbanisation bâclée, mal articulée et tout simplement triste et laide. Un havre de lacs et de forêts situé à une petite demi-heure du centre de Montréal !* ❞

Yvan, 50 ans, chercheur et enseignant.

Quel Montréal vous correspond ?
2. Le Montréal résidentiel

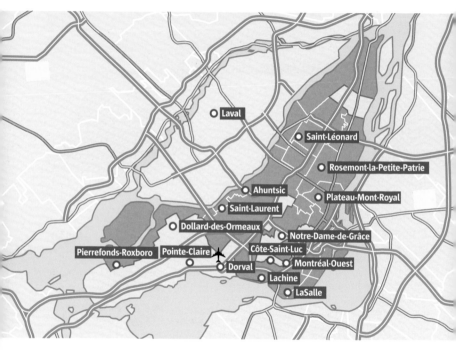

▶ **Plateau-Mont-Royal, la petite France**

Cela fait déjà de nombreuses années que les Français se passent le mot : c'est « l'endroit » où habiter à Montréal. Résultat, le Plateau, comme on l'appelle ici, prend des allures de petite France. L'accent pointu de l'Hexagone se fait entendre dans la rue, dans les commerces, les garderies et les écoles. Il est clair que les Français ont fait du Plateau-Mont-Royal leur quartier de prédilection et tous les habitants du secteur se

connaissent au moins un voisin venu de l'Hexagone. La lecture des guides touristiques peut expliquer en partie cet engouement. Du Plateau, on vante ses rues bordées d'arbres, ses ruelles, ses maisons en triplex aux fameux escaliers extérieurs en fer forgé. Des rues paisibles côtoient des artères animées où se succèdent bars, restaurants et boutiques variées — de la mode chic ou underground à la bonne bouffe – qui entretiennent sa réputation de périmètre branché. Sa

population est jeune, près de la moitié se situe dans le groupe des 20-39 ans, et quasiment 80 % des gens y sont locataires. Beaucoup de « pévétistes » (étrangers arrivés grâce au permis vacances-travail, ou PVT) choisissent d'ailleurs de s'installer ici. Ils y retrouvent un mode de vie européen tout en restant très montréalais. Bien desservi par les transports en commun et autres services (supermarchés, loisirs, etc.), le quartier se parcourt aisément à pied ou en vélo. Et c'est tant mieux, car il

Plateau-Mont-Royal : le square Saint-Louis et ses façades d'architecture victorienne.

est devenu un enfer pour les automobiles. Les rues sont encombrées, le stationnement est restreint et, pour corser le tout, la mairie de quartier a décidé de ne plus systématiquement déneiger les rues après une tempête hivernale. Résultat, habiter le Plateau sans avoir une place de parking couvert ou privé n'est pas suicidaire, mais presque. Ce n'est donc pas un hasard si le Plateau attire des jeunes couples et des célibataires ou des familles qui ont décidé de mettre leur voiture de côté. Conséquence de la popularité du secteur, les loyers, pour un même logement, sont plus élevés ici que dans d'autres quartiers centraux. On y trouve principalement des duplex ou des triplex (immeubles sur deux ou trois niveaux) avec une porte d'entrée commune. Mais pour les anciens Parisiens ou habitants des grandes agglomérations françaises, ils restent comparativement abordables. C'est le prix ici pour vivre dans « un village

dans la ville » proche de tout et de tous. C'est d'ailleurs le reproche que l'on peut faire aux résidents du Plateau : ils ne sortent pas ou presque de leur bulle et souvent

connaissent mal le reste de la ville. Certains immigrants regrettent même de ne pas y rencontrer suffisamment de Québécois et peuvent aller jusqu'à penser qu'il y a trop de Français dans ce quartier. Un paradoxe…

▶ Rosemont-la-Petite-Patrie

C'est assurément l'un des secteurs qui montent parmi les nouveaux arrivants de Montréal. Ce quartier populaire a été en partie créé au début du XXe siècle pour accueillir les ouvriers des usines Angus qui construisaient du gros matériel de chemin de fer. Rosemont a alors vu ses terres agri-

Rosemont, le quartier qui monte.

Se loger à Montréal

Les façades typiques du Plateau-Mont-Royal.

Le village Monkland à Notre-Dame-de-Grâce.

coles disparaître pour faire place à l'industrialisation. Le village ouvrier de Rosemont a rejoint la ville de Montréal en 1910. Le quartier a donc à peine plus de 100 ans. Il est aujourd'hui en plein renouveau, mais conserve ses « villages urbains » qui ont fait sa particularité. Petite-Italie, le parc Molson, Cité-Jardin, Angus, la promenade Masson... autant de secteurs distincts, avec leur propre personnalité dans lesquels il existe une vraie vie de quartier. Ici la notion de voisinage perdure. Il n'y a pas si longtemps encore, vivait dans ce quartier une population vieillissante désormais remplacée de plus en plus par de jeunes familles et de nouveaux

immigrés, dont de nombreux Français. (Rosemont demeure toutefois encore aujourd'hui le troisième arrondissement ayant la plus forte proportion de personne âgées.) Cette nouvelle demande de logement pousse les prix à la hausse et incite les anciens locataires à s'installer ailleurs. C'est le cas notamment dans la Petite-Italie, qui compte de moins en moins de Transalpins, arrivés en grand nombre après la Seconde Guerre mondiale. D'anciennes usines ou des blocs de maisons délabrées cèdent la place à de petits immeubles modernes de quatre ou cinq étages ou à des lofts luxueux. Le quartier s'embourgeoise rapidement surtout dans

sa partie sud-ouest, la Petite-Patrie, mitoyenne du Plateau-Mont-Royal, surpeuplé et devenu trop onéreux pour beaucoup. Entre 2005 et 2010, les loyers de la Petite-Patrie ont ainsi augmenté de 25 % alors que, selon les règles édictées par la Régie du logement, cette hausse n'aurait pas dû dépasser 4,6 %. Et la tendance se poursuit. Le prix moyen des loyers dans l'ensemble de Rosemont a augmenté de 40 $ entre 2010 et 2011. Pour un appartement de deux chambres, le prix moyen en 2013 était de 719 $. Central, sécuritaire, vert (il compte 55 parcs) et de plus en plus animé avec notamment l'ouverture de nombreux bons restaurants, Rosemont-

Dans le quartier Ahuntsic, les prix sont encore avantageux.

la-Petite-Patrie est un des arrondissements les plus attrayants de Montréal, mais peut-être est-ce déjà trop tard pour profiter de prix bas à la location ou à l'achat.

▶ Notre-Dame-de-Grâce

Plus anglophone que Rosemont, NDG (prononcez-le à l'anglaise, n-di-ji) offre également un cadre de vie agréable qui séduit de plus en plus les Français. Situé à l'ouest du boulevard Décarie (qui longe l'autoroute 15), c'est un quartier de belles maisons avec des jardins à l'anglaise, des arbres centenaires et de grandes artères animées. Datant du milieu du XIXe siècle, ce « village », autrefois à vocation agricole, s'est développé autour de l'église Notre-Dame-de-Grâce. Il sera intégré à Montréal en 1910. À partir des années 1920, un grand nombre d'anglophones plutôt aisés sont venus y vivre, lui donnant son caractère majoritairement anglais. Aujourd'hui, ce secteur accueille encore beaucoup d'immigrants anglophones ou allophones. Pour les Français qui s'installent au Québec mais espèrent continuer à mener la même vie que dans l'Hexagone, ce n'est pas le quartier idéal. En revanche, ceux qui recherchent plus de bilinguisme ou veulent améliorer leur anglais seront ravis. L'échange entre voisins constitue une bonne façon de perfectionner une deuxième langue et les familles avec enfants en bas âge verront leur progéniture apprendre la langue de Shakespeare sans effort à la garderie. Un peu comme sur le Plateau, on peut ici faire ses courses à pied facilement, surtout aux abords du village Monkland. Ce secteur des plus recherchés s'étend le long de l'avenue Monkland entre les boulevards Décarie et Grand. Cette artère commerciale qui a connu des hauts et des bas au cours de son histoire vit actuellement une « yuppisation » avec ses belles boutiques et ses restaurants et cafés branchés. La portion de l'avenue Sherbrooke située dans le quartier présente la même tendance. Les prix

83

Se loger à Montréal

Une belle demeure du boulevard Gouin dans Ahuntsic.

L'Ouest-de-l'Île offre une belle qualité de vie.

suivent bien que variant cependant beaucoup selon le niveau de qualité des logements. On peut encore faire de bonnes affaires à NDG à condition de s'engager dans de gros travaux dans des maisons vieillissantes, mais au charme certain. En ce qui concerne le transport, les trois stations de métro — du nord au sud Snowdon, Villa-Marie et Vendôme — se trouvent dans la partie la plus à l'est du quartier le long du boulevard Décarie. Pour l'ouest de NDG, il faudra se déplacer en bus. Majoritairement cosy, calme, baignant dans la verdure et plutôt bourgeois, NDG comporte toutefois certaines zones à déconseiller, car nettement moins agréables (du moins pour le moment). C'est le cas de la partie située au sud de la voie ferrée et du boulevard de Maisonneuve, de l'avenue Walkley, entre Fielding et Côte-Saint-Luc, jugées zones difficiles, ou encore des abords de l'autoroute 15, bruyants et franchement sinistres par endroits.

▶ Ahuntsic

Il fait bon vivre à Ahuntsic. Pourtant, peu d'habitants de la métropole le mettraient en tête de liste. À tort... Ce quartier est situé au nord de l'île de Montréal, au-delà de l'autoroute 40, comme aiment à le souligner avec une pointe de répugnance de nombreux Montréalais. Cet éloignement ne joue pourtant pas forcément en sa défaveur. À bien y regarder, sa position géographique est même enviable. Bordé au nord par la rivière des Prairies et le boulevard Gouin, le secteur s'étale ensuite vers le sud de chaque côté du boulevard Henri-Bourassa. Belles demeures patrimoniales du bord de l'eau, nombreux pavillons des années 1960 et 1970, maisons en rangée, petits et grands immeubles : l'offre immobilière est variée et abondante. Le relatif éloignement du centre et l'abondance de logements épargnent encore à ce quartier une flambée des prix... mais il faut faire vite, car il est de plus en plus convoité. Dans les belles rues ombragées qui relient les boulevards Gouin et Henri-Bourassa, on pourrait se croire dans une banlieue chic, tout en n'ayant pas à traverser les ponts de l'île et subir les embouteillages pour se rendre au travail. De plus, le stationnement ne constitue pas ici un problème. De grands parcs, certains au bord de l'eau comme celui de la Visitation, des piscines publiques, des terrains de tennis et de football et, l'hiver, des patinoires en

Une banlieue moderne de la rive nord du Saint-Laurent.

plein air: l'arrondissement peut s'enorgueillir de multiples installations sportives et de loisir. Accessibles à tous et gratuites, elles sont en plus souvent disponibles. Familial par excellence, Ahuntsic est le quartier qui comprend le plus d'écoles primaires, secondaires et trois des Cegeps (Collège d'enseignement général et professionnel) les plus réputés de la ville. Pour l'animation, il faut se rendre rue Fleury, où des dizaines de petits commerces, dont certains nouvellement installés depuis peu, animent le secteur. On y trouve du bon pain, des boutiques gourmandes et quelques bistros qui n'ont rien à envier à ceux du centre.

▶ Ouest-de-l'Île

Les aires résidentielles de la partie occidentale de l'île de Montréal se sont beaucoup développées au cours des dernières décennies. Plus anglophones, ces quartiers, excentrés, sont souvent agréables. Ils offrent également l'atout de n'avoir pas de ponts à traverser, synonymes de goulets d'étranglement, aux heures de pointe. On y compte aussi de grands parcs naturels et de nombreux accès aux rives du fleuve Saint-Laurent, de la rivière des Prairies, des lacs des Deux-Montagnes ou Saint-Louis. Du nord au sud, on peut citer les arrondissements de Pierre-Fonds-Roxboro, Dollard-des-Ormeaux, Dorval, Pointe-Claire, LaSalle et Lachine. Tous offrent une belle qualité de vie et un choix d'habitations principalement composé de maisons individuelles ou de petits immeubles avec des prix, pour un même confort, en général plus abordables que dans les quartiers résidentiels centraux. Le coût moyen d'une maison familiale s'établit aux alentours de 400 000 $. Gros bémol: l'offre locative y demeure faible même si elle se développe avec la construction de nouvelles tours d'habitations. L'autre point noir: exclusivement desservis par des trains de banlieue, ces quartiers du West Island se trouvent entre 45 min et une heure en transport en commun du centre-ville.

Les autres quartiers résidentiels

Saint-Laurent, Saint-Léonard, Côte-Saint-Luc, Montréal-Ouest, Laval et la plupart des villes de banlieue sur les rives du Saint-Laurent.

Quel Montréal vous correspond?
3. Le Montréal « pas cher »

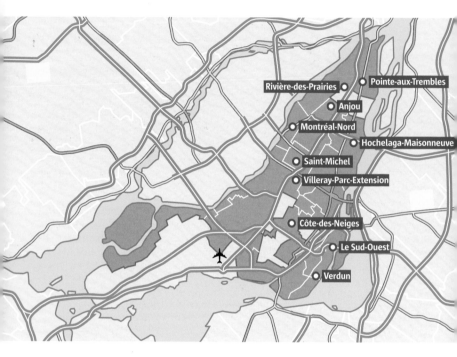

Rivière-des-Prairies
Pointe-aux-Trembles
Anjou
Montréal-Nord
Hochelaga-Maisonneuve
Saint-Michel
Villeray-Parc-Extension
Côte-des-Neiges
Le Sud-Ouest
Verdun

▶ Côte-des-Neiges

Situé à l'ouest du mont Royal, c'est un des arrondissements les plus populaires de la ville. Depuis longtemps maintenant, il attire de nombreux nouveaux immigrants ce qui en fait un des quartiers les plus cosmopolites de Montréal. Pas moins de 80 communautés ethniques y sont représentées et on y trouve une importante population étudiante du fait de la proximité de l'université de Montréal, mais aussi de ses loyers abordables. Bien desservi par les transports en commun, il compte notamment huit stations de métro, presque un record. Les logements à louer, constitués essentiellement d'appartements, de duplex et de maisons, sont nombreux, mais parfois difficiles à obtenir du fait d'une forte demande. La partie sud, proche du mont Royal et de l'université, est plutôt fréquentée par la classe moyenne ou moyenne sup qui aime se rapprocher du quartier huppé et calme d'Outremont sans en subir les prix prohibitifs. Dans le secteur plus au nord et à l'ouest du chemin de la Côte-Sainte-Catherine, les logements sont souvent plus anciens et surtout de moins bonne qualité. De belles demeures cossues côtoient des appartements pas toujours salubres. Cette réputation de quartier défavorisé lui colle à la peau. Côte-des-Neiges bouillonne toutefois de vie. Les commerces sont variés et certains restent ouverts 24 heures sur 24. Il en va de même pour les restaurants très « cuisine du monde »: vietnamiens,

libanais, indiens, italiens, portugais… pour la plupart économiques et authentiques. À Côte-des-Neiges, on peut faire le tour de la planète tous les jours.

▶ Maisonneuve (Homa)

Voici un des secteurs de Montréal qui a mauvaise réputation et qui n'a pas non plus bonne presse. Prostitution, trafic de stupéfiants en pleine rue, homicides et interventions policières à Hochelaga-Maisonneuve occupent souvent les unes des journaux. La réalité est cependant plus contrastée. Certes, le quartier a subi la fermeture de nombreuses entreprises et a dû faire face à une hausse du chômage et de la pauvreté dans les années 1980, mais le renouveau est en marche depuis une dizaine d'années. Les anciennes usines y sont transformées en lofts ou en coopératives d'habitation, les rues commerçantes rajeunissent, l'offre culturelle se développe… bref, Homa change tout en affichant en-

Homa pâtit d'une mauvaise réputation mais change.

core des loyers plus bas que la moyenne (tous logements confondus, il est de 650 $, un des moins onéreux de Montréal). Pour combien de temps encore ? Les chantiers de construction qui poussent dans ses rues augurent d'un prochain embourgeoisement comme c'est déjà le cas avec la place Valois et ses commerces raffinés. En dehors de quelques zones dites difficiles, Homa, un des quartiers les plus étendus de la ville, comporte de nombreux îlots résidentiels très agréables.

C'est le cas par exemple des abords du Stade olympique et du parc Maisonneuve ou des alentours de la station de métro Joliette. Les zones qui posent encore problème se situent au sud de la rue Ontario et à l'ouest du boulevard Pie-IX. On est loin toutefois de l'époque où les Québécois qualifiaient le coin de coupe-gorge.

▶ Villeray-Parc Extension

Ce périmètre, qui s'étend de part et d'autre du grand parc Jarry, a conservé sa réputation de secteur ouvrier et populaire. Comme Côte-des-Neiges, c'est aujourd'hui l'un des plus multiculturels. Villeray compte environ 25% de nouveaux venus récents et Parc-Extension, près de 60%. Les immigrés grecs de Parc-Extension ont petit à petit été remplacés par des Indiens et des Pakistanais tandis qu'à Villeray, Italiens et Portugais ont cédé la place aux Vietnamiens et Maghrébins. Le secteur est réputé pour son grand

Villeray-Parc-Extension, un des quartiers les plus multiculturels.

La rue Sébastopol dans le populaire quartier Pointe-Saint-Charles.

nombre de locations et ses prix abordables. On y trouve aussi de grands appartements. Les logements sont majoritairement composés de duplex et d'immeubles anciens. Cependant, l'apparition de nouveaux immeubles ou de bâtiments industriels transformés en condominiums vient modifier petit à petit la physionomie de Villeray-Parc-Extension.

▶ Le Sud-Ouest

Cet arrondissement, longtemps parmi les plus défavorisés de Montréal, est constitué de plusieurs quartiers au caractère distinct, mais tous de nature essentiellement populaire. Griffintown, Petite-Bourgogne, Pointe-Saint-Charles, Saint-Henri… autant de faubourgs qui ont longtemps pâti d'une mauvaise réputation. Pauvreté, criminalité et logements délabrés appartiendront bientôt au passé, car le Sud-Ouest est

en pleine mutation. C'est le secteur qui monte. La revitalisation de Griffintown, transformé en un vaste ensemble immobilier assez luxueux, est un bon exemple de l'embourgeoisement en cours. Le Sud-

Ouest, c'est avant tout une proximité avec le centre-ville à pied ou à bicyclette, via les pistes cyclables. Ces dernières longent le canal Lachine, dont les rives autrefois encombrées d'immeubles industriels ont été

transformées en des trouées vertes invitant à la promenade. On y compte aussi suffisamment de stations de métro. On trouve dans ce quartier de belles résidences victoriennes, d'anciennes usines ou entrepôts reconvertis en lofts ainsi que de simples logements ouvriers. Certains îlots tels que celui de la rue Sébastopol, près du parc des Cheminots, à Pointe-Saint-Charles, comportent de charmantes demeures avec jardin… on se croirait presque en banlieue. Pour le moment, les loyers y sont abordables, et on peut y dénicher de belles maisons individuelles ou des duplex avec jardin pour moins de 500 000 $. Bien sûr, quelques zones encore en chantier peuvent rebuter et le manque de commerces se fait aussi parfois sentir.

Quant au passé de violence, il s'est considérablement estompé, mais n'a pas totalement disparu. Il est donc prudent de bien se renseigner avant de s'installer. Incontestablement, un vent de renouveau souffle sur le Sud-Ouest, qui devient une des aires les plus courues de la métropole. De plus en plus d'artistes s'y installent comme la chanteuse Isabelle Boulay. On peut parier que d'ici à une dizaine d'années, le quartier aura totalement changé.

Les autres quartiers pas chers

Saint-Michel, Montréal-Nord, Anjou, Pointe-aux-Trembles, Rivière-des-Prairies, Verdun.

Les bords du canal de Lachine.

Montréal ou sa banlieue ?

En 2011, pour la première fois, la population de la banlieue montréalaise (1 938 700 habitants) a dépassé le nombre d'habitants vivant sur l'île de Montréal (1 886 500). Cet exode n'est ni nouveau ni limité au Québec : entre 1940 et 1970, les villes canadiennes ont perdu jusqu'à 20 % de leur population au profit de leur périphérie. Habiter à Laval, Longueuil ou Brossard, dans une maison avec gazon, piscine et jacuzzi, n'est plus si « quétaine » (ringard) que cela l'a été, notamment chez les jeunes. Pourquoi ce choix de la banlieue ? On vous répondra : pour la tranquillité, l'espace, la sécurité, les taxes locales moins élevées, le stationnement gratuit… Le coût du logement est aussi, bien sûr, un argument de poids. Le prix moyen d'une maison en banlieue est de 250 000 $ contre 375 000 dans l'île de Montréal, mais au cœur de la métropole elle prendra plus de valeur et plus vite. Autre bémol, la circulation automobile. Le matin, les ponts sont bouchés aux heures de pointe, les divers travaux ralentissent le trafic et le réseau de transport en commun n'est pas encore assez développé. Traditionnellement, la banlieue est le territoire de la classe moyenne. Mais elle comporte aussi ses quartiers très chics et très chers, notamment en bord de rivière, de lac ou de terrain de golf. Vivre en périphérie n'est pas une obligation dictée par la seule contrainte économique, c'est un véritable choix de vie.

S'intégrer
à Montréal

Les associations, le lien social

Le Canada fut le premier pays à adopter une politique officielle de multiculturalisme, en 1971.

▶ Montréal, ville accueillante ?

Les Québécois sont réputés pour être accueillants et chaleureux. Les Français aiment le Québec et ses habitants, qui, la plupart du temps, le leur rendent bien. Mais qu'en est-il pour les immigrés temporaires ou permanents qui arrivent chaque année au Québec par dizaines de milliers ?

▶ Une société diversifiée

En raison d'un important flux d'immigrants (plus de 50 000 en 2013 pour une population totale de 8 millions d'habitants), le Québec – et en particulier Montréal – se diversifie. En effet, environ sept immigrants sur dix choisissent de s'installer dans la métropole. La majorité francophone et les anglophones de Montréal cohabitent ainsi avec de nouveaux résidents d'origines et de cultures diverses venues de toute la planète.

▶ Tolérance et respect

Le Québec encourage officiellement l'échange entre les cultures et reconnaît l'enrichissement que constitue la diversité. Par ailleurs, chacun peut choisir libre-

> **❝** *Les Québécois n'aiment pas la « chicane », ils sont tellement dans le consensus qu'ils passent parfois à côté de bonnes discussions, de débats intéressants. Ils ne sont pas aussi rapides à « dégainer » que les Français. C'est parfois frustrant, mais on arrive à bien se comprendre, car parfois peu de mots suffisent pour résumer une pensée* **❞**

Stéphane, 44 ans, installé au Québec depuis douze ans.

ment son style de vie, ses opinions ou sa religion dans le respect des droits d'autrui. Les rapports entre personnes s'instaurent donc avec respect et tolérance dans un climat d'entente. « *Notre défi, c'est de vivre ensemble dans le respect de chacun : le Québec a dit oui à l'immigration à condition que les immigrants s'intègrent à notre société* », déclarait Yolande James alors ministre de l'Immigration et des Communautés culturelles du Québec en 2008. Et depuis janvier 2009, tous les candidats à l'immigration doivent signer une déclaration solennelle d'engagement à respecter ces valeurs communes de la société québécoise.

▶ Multiculturalisme
Premier pays au monde à adopter une politique officielle de multiculturalisme, en 1971, le Canada a intégré ce principe dans sa Charte des droits et libertés en 1982 en précisant dans son article 27 que « *toute interpré-*

tation de la présente charte doit concorder avec l'objectif de promouvoir le maintien et la valorisation du patrimoine multiculturel des Canadiens ».

▶ Interculturalisme
Seule province francophone du Canada, le Québec préfère parler d'interculturalisme : les nouveaux immigrants sont invités à s'intégrer dans une société caractérisée par sa langue, des valeurs établies (comme l'égalité entre homme et femme ou la séparation de l'Église et de l'État) et sa propre histoire.

▶ Objectif intégration
Dans les faits, Québec et Canada tentent la même aventure : intégrer le mieux possible leurs nombreux nouveaux arrivants. Les « *accommodements raisonnables* », demandes et requêtes formulées par des personnes issues de groupes ethniques ou religieux minoritaires, ont défrayé la chronique et suscité un fort et houleux débat

> " *Éviter les comparaisons avec l'Hexagone en matière de gastronomie, ne pas m'exclamer « p... d'hiver de m... » alors que je viens de glisser sur une plaque de verglas en plein mois d'avril, donner tout de même un pourboire au coiffeur qui vient de massacrer ma coupe, ne pas soupirer lorsque, à un guichet, on me lance un « s'ra pas long » alors que je sais que je vais devoir patienter une demi-heure... Voilà ce que je dois m'efforcer de faire au quotidien pour ne pas passer pour une maudite Française !* "
> Stéphanie, 28 ans, en provenance de Perpignan.

en 2007-2008, lors des travaux de la commission Bouchard-Taylor. Il en est ressorti que les Québécois sont majoritairement opposés au communautarisme ; les immigrants doivent s'intégrer à une nouvelle culture sans toutefois oublier la leur.

Maudits Français !

S'il est vrai qu'il est plus facile pour les Français de s'intégrer dans la société québécoise du fait d'une langue commune, l'amour des Québécois pour les cousins européens n'est pas indéfectible. Au quotidien, on reproche souvent au Français son arrogance, son côté râleur et donneur de leçons. L'utilisation de l'expression « maudit Français » l'illustre bien. Issue de l'histoire ancienne (le Québec n'ayant jamais totalement digéré l'abandon de la Nouvelle-France par Louis XV), elle a perduré. Elle est toutefois à double sens, parfois péjorative, la plupart du temps amicale. D'ailleurs, le terme « maudit » s'emploie dans le langage familier comme « sacré » ou « espèce de » , et il est donc à prendre au second degré. Se faire traiter de « maudit Français » peut être une façon affectueuse se faire rappeler à l'ordre ; la solution est alors de faire preuve d'humour, de mettre sa fierté dans sa poche et de se rappeler que le Québec n'est pas l'Hexagone.

S'intégrer à Montréal

▶ Le politiquement correct

Si l'on poussait un peu la caricature, le Québec serait un monde particulier où il n'y aurait ni Noir, ni gros, ni nain, ni handicapé, et où la communauté serait accueillante pour les minorités visibles… Ce ton politiquement correct empêche les comportements racistes ou xénophobes en public, ce qui ne veut pas dire que ces notions sont absentes de la société. Cette attitude est parfois difficile à comprendre par les Français, qui y voient une certaine hypocrisie.

▶ Consensus

De la même façon, les débats au Québec sont plus feutrés que dans l'Hexagone. À l'Assemblée nationale, certains « gros » mots sont placés sur une liste et prohibés. Les Québécois semblent allergiques à la confrontation et partisans du consensus

dans tous les domaines : politique, social, privé. Les joutes verbales peuvent être assimilées à des querelles, la critique ressentie comme une attaque personnelle. Beaucoup d'entre eux ont d'ailleurs été étonnés de l'ampleur de la contestation étudiante au printemps 2012. Une bonne façon de couper court à toute querelle, et d'avoir l'air d'un vrai Québécois, est d'employer les expressions « c'est beau » ou « tout est beau ».

▶ L'amitié à la québécoise

Si les étudiants fraîchement arrivés sont agréablement surpris de lier des amitiés en quelques semaines, il n'en va pas toujours de même pour les couples ou les familles qui immigrent de façon permanente. Certains se plaignent de ne pas avoir d'amis québécois et ont tendance parfois à se replier sur eux-mêmes ou au sein de leur communauté. Ce n'est pourtant pas plus difficile de se créer un cercle amical à Montréal qu'à Marseille ou Bordeaux en venant de Lille ou Strasbourg.

▶ Tutoiement

Certaines différences entre le Québec et la France peuvent décontenancer. Il ne faut pas par exemple confondre le côté familier et spontané des Québécois, qui vous tutoieront d'entrée, avec une envie de nouer amitié. Être chaleureux au premier abord est une façon d'être typiquement nord-américaine qui n'engage à rien.

▶ Hors les murs

Autre différence, si la notion d'amitié implique en France de se voir souvent, de s'inviter mutuellement et de s'adonner à de multiples activités, il en va différemment au Québec où les choses sont plus différenciées. Les Québécois ne reçoivent pas aussi souvent que les Français autour d'une table à la maison. Le cercle familial est plus protégé qu'en France. On se retrouve plutôt à l'extérieur, dans un bar pour boire un verre, au restaurant ou pour assister à un spectacle.

▶ Cercles amicaux

À Montréal, on se fera des amis au travail, mais aussi en pratiquant un sport, en participant à la vie de son quartier, en s'impliquant dans l'école de ses enfants ou en faisant du bénévo-

> *Les diverses étapes de l'intégration peuvent être difficiles à franchir. Même si le mode de vie d'ici paraît proche de celui des Français, les différences sont réelles et parfois déroutantes, comme dans les relations entre hommes et femmes en raison d'un féminisme très fort. Il peut être aussi long de se faire des amis et il n'est pas forcément facile d'entretenir des relations à distance avec ses proches en France. Mais j'ai un travail qui me passionne et une qualité de vie exceptionnelle*

Magali, 28 ans, arrivée à Montréal en 2009.

lat. Vous verrez vos amis dans un champ d'activité bien précis sans que vos bons « chums » de soccer ou de votre club de gym ne croisent jamais ceux de votre bureau ou de votre association de parents. Contrairement à beaucoup de Français qui fréquentent un cercle de connaissances dans une même classe sociale ou un même environnement, au Québec, les amitiés sont diverses et variées dans tous les milieux.

▶ Les relations entre hommes et femmes

Les différences entre sexes sont moins marquées au Québec que dans les pays du sud de l'Europe et même qu'en France. Les rapports entre hommes et femmes sont plus affirmés, mais aussi plus égalitaires. Les Québécoises revendiquent leur indépendance et paient leur part au restaurant. Régler l'addition pourra être pris comme une touche de charme français… tout est

> **" Si les Québécois sont chaleureux et serviables, cela ne veut pas dire qu'ils deviennent instantanément vos amis. On peut aller voir son voisin pour lui demander un service et il se mettra en quatre pour vous aider, mais cette première prise de contact se terminera rarement autour d'un apéro chez l'un ou chez l'autre. Attention également à la manière de présenter les choses. Il y a moins d'ironie ou de cynisme au Québec qu'en France. Il faut parfois tourner sept fois sa langue dans sa bouche avant de parler… "**
>
> Tristan, 42 ans, originaire de Normandie.

dans la nuance. Attention ! Au travail on ne drague pas, c'est mal vu.

▶ Le premier pas

Que n'a-t-on pas dit dans les magazines des deux côtés de l'Atlantique sur les rapports entre sexes opposés ? En France, le rapprochement homme-femme serait axé sur la séduction et l'humour, les hommes étant plus entreprenants. A contrario, au Québec, les hommes n'oseraient pas faire le premier pas de peur d'essuyer un échec, d'où l'obligation pour la femme québécoise d'être plus audacieuse. Autre aspect déroutant pour les machos, les Québécoises adorent laisser leur compagnon ou époux à la maison avec les enfants pour se retrouver entre femmes pour des « partys ».

Le bénévolat

Comme dans toute l'Amérique du Nord, le bénévolat est répandu au Québec. Selon une enquête menée par différents organismes gouvernementaux canadiens en 2010, 37% de la population québécoise âgée de 15 ans et plus a une activité bénévole (47% pour l'ensemble du Canada). Organismes d'aide aux plus démunis, organisation d'événements culturels, participation au conseil d'établissement de l'école de ses enfants… le bénévolat constitue un bon moyen de faire des rencontres, mais aussi de valoriser son parcours professionnel et d'élargir son réseau de relations. Il est d'ailleurs conseillé d'incorporer les activités d'entraide dans votre CV. Il existe des sites recensant les structures nécessitant des bénévoles.

www.benevolat.gouv.qc.ca (site du gouvernement du Québec)
www.cabm.net (Centre d'action bénévole de Montréal)
www.rabq.ca (Réseau de l'action bénévole du Québec)

Devenez montréalais

▶ Le joual, « parlure » québécoise

À moins d'avoir déjà effectué plusieurs séjours ici, tout nouvel arrivant éprouvera des difficultés avec la langue québécoise. Les différences ne se limitent en effet pas à l'accent. Vous entendrez des mots nouveaux, mais aussi parfois une syntaxe différente et, comme en France, les gens parlent plus ou moins vite, ce qui peut gêner la compréhension. Vous découvrirez aussi le joual, une « parlure » typique de la région de Montréal avec ses « ouin » (oui), « toé » (toi), « pantoute » (pas du tout), « fa que » (donc), « anyway » (en tout cas). Au bout de quelques semaines, vous devriez avoir assimilé un certain nombre de ces nouvelles expressions colorées. Sachez également que ce parler ne doit pas être uti-lisé à l'écrit; c'est ce qu'on enseigne en tout cas aux enfants dans les écoles québécoises, qui tolèrent quelques québécismes mais font la chasse à tous les anglicismes.

▶ La langue, sujet délicat

La distinction linguistique est un sujet particulièrement délicat à aborder. Les Québécois reprochent aux Français à juste titre l'usage exagéré de mots d'anglais dans le langage courant, les Français blâment les Québécois pour leurs multiples anglicismes. Il est toutefois déconseillé de reprendre un Montréalais sur sa façon de parler le français. Certains pourront même penser que l'on se moque d'eux en ne les comprenant pas alors qu'ils parlent la même langue. Gardez toujours à l'esprit que, en tant qu'étranger, c'est vous qui avez un accent et qu'il vaut mieux parfois avoir les oreilles plus grandes que la bouche…

▶ Petit conseil

Si vous voulez apprendre le joual, évitez d'acheter un guide du genre « Apprendre à parler québécois. » Souvent, les expressions répertoriées dans ces livres sont surannées ou même erronées. Vous n'êtes pas certain d'un mot ou d'une locution? Allez directement à la source, demandez aux Québécois!

Histoires de capotes

Au Québec, le verbe **capoter** veut dire à la fois « adorer, exagérer ou perdre la tête, être pris d'angoisse ». L'adjectif **capoté** qualifie « quelque chose qui sort de l'ordinaire » (on emploie aussi le terme **flyé,** emprunté à l'anglais). Et on ne parle pas de « préservatif masculin » mais de **condom.**

Montréal en fête

Le 24 juin, c'est la grande fête du Québec, à ne pas confondre avec celle du Canada, le 1ᵉʳ juillet (beaucoup moins célébrée à Montréal). Cette journée donne le coup d'envoi de la fièvre estivale. Hautement symbolique par ses origines à la fois nationalistes et religieuses, la Saint-Jean-Baptiste est officiellement, depuis 1977, la fête nationale des Québécois. Vêtus des couleurs du pays, le bleu et le blanc, et de jaune pour représenter le solstice d'été, drapeau à la main ou fleurs de lys peintes sur le visage, ils descendent dans les rues par dizaines de milliers affirmer leur attachement aux traditions. Défilés, feux de la Saint-Jean, fêtes de quartier et surtout le spectacle musical d'envergure du parc Maisonneuve ponctuent cette journée, la plus longue de l'année pour les Montréalais, qui ne s'achève jamais avant le petit matin. **www.fetenationale.qc.ca**

▶ **Attention aux pourboires**

Si les taxes (environ 15 %) sont systématiquement incluses dans les additions, ce n'est pas le cas du pourboire, à la discrétion du client. Si l'on est content du service, on laisse 15 % du prix HT. Pour vous simplifier ce calcul, sachez qu'il suffit d'additionner les deux taxes (TPS et TVQ) pour obtenir le montant du pourboire. Cela explique pourquoi le serveur ou la serveuse vous demandent plusieurs fois au cours du repas si tout va bien, car leurs revenus dépendent en partie de votre satisfaction.

▶ **La bise entre hommes**

On s'embrasse moins au Québec qu'en France. Au travail, un salut lointain de la main ou un petit mot suffisent. Et entre amis, la bise n'est pas de rigueur surtout entre hommes ; on lui préférera l'accolade.

▶ **La ponctualité**

Ici, pas de quart d'heure de retard académique, on arrive plutôt en avance de 10 à 15 minutes à un rendez-vous de travail. Lorsqu'on vous fait patienter, on vous lance souvent un « s'ra pas long » qui peut aussi laisser entendre que vous allez devoir attendre longtemps… et donc que vous devez rester serein.

▶ **Les horaires en semaine**

Au Québec, le déjeuner est en fait le petit déjeuner ; le dîner (couramment appelé le lunch), le déjeuner ; le souper, le dîner. On déjeune plus tôt qu'en France, les journées de travail débutant dès 8 h. Le dîner a

lieu vers midi et la pause dure de 30 min à une heure au maximum. La journée de travail s'arrêtant vers 16 h 30-17 h 30, le souper se prend tôt, entre 17 h et 18 h, ce qui laisse du temps pour être en famille, pratiquer un sport, un loisir, aller au spectacle (qui souvent commence entre 19 h et 20 h).

▶ Les horaires du week-end

Les « fins de semaine », les horaires sont plus souples surtout durant l'été. On convie en général à souper pour 18 h mais l'apéro peut vous conduire à ne passer à table que vers 20 h. Lorsque l'on est invité, il est de bon ton d'apporter une bou-

teille de vin qui sera bue le soir même. Une soirée entre amis se termine en général aux alentours de 22 h. Dans une soirée regroupant diverses nationalités, vous verrez ainsi fréquemment partir en premier les Québécois, non pas parce qu'ils s'ennuient mais parce que cela relève de leurs habitudes.

Petit lexique à l'usage des néo-Montréalais

- **barrer la porte** = fermer la porte à clé
- **du blé d'Inde** = du maïs
- **un char** = une automobile
- **dispendieux** = cher
- **magasiner** = faire des courses
- **s'arrêter à la lumière** = s'arrêter au feu rouge
- **un traversier** = un bac, un ferry
- **une boisson** = une boisson alcoolisée
- **un breuvage** = une boisson sans alcool
- **c'est correc'** = c'est bien, c'est d'accord
- **un dépanneur** = un commerce de proximité
- **une piastre** = un dollar canadien
- **avoir du change** = avoir de la monnaie
- **une blonde** = une petite amie (peu importe la couleur de ses cheveux)
- **un chum** = un ami ou un petit ami
- **tomber en amour** = être amoureux
- **jaser** = bavarder, causer
- **achaler** = énerver
- **un ou une aréna** = une patinoire où se déroulent des matchs de hockey
- **une Balayeuse** = un aspirateur
- **faire son épicerie** = faire ses courses alimentaires
- **un party (prononcez parté)** = une fête entre amis ou collègues
- **bienvenue** = de rien
- **prendre une brosse** = se soûler

Certains mots longtemps réprimés se sont glissés petit à petit dans le vocabulaire montréalais: parler par exemple de week-end, hot-dog et hamburger n'est plus tabou, mais on préférera vous entendre employer **fin de semaine**, **chien-chaud**, **hambourgeois**. En revanche pas question d'utiliser mail (on dit **courriel**) ou parking (on dit **stationnement**). Enfin, ne parlez pas de vos **gosses**, il s'agit des testicules !

Les Français parlent aux Français

▶ **30 000 immigrants venus de France**

Selon le ministère de l'immigration du Québec, le nombre d'immigrants permanents en provenance de France pour la période 2009 à 2013 s'élève à près de 31 000 personnes, soit une moyenne annuelle d'environ 6200 nouveaux arrivants. Le Québec abriterait environ 120 000 ressortissants de l'Hexagone dont plus des deux tiers vivraient à Montréal. Environ 28 % ont choisi de s'installer sur le Plateau-Mont-Royal, 18,5 % à Côte-des-Neiges-NDG, 16 % à Rosemont-la-Petite-Patrie, soit 37,5 % pour les autres quartiers. Les Français auraient-ils l'instinct grégaire ?

▶ **Les associations**

Vous serez surpris de voir le nombre d'amicales et d'associations présentes à Montréal et répertoriées sur le site de l'ambassade. L'Union française (fondée en 1886), France-Canada, Québec-France, Objectif Québec, La vie continue, Montréal accueil… mais aussi l'Amicale alsacienne, celle des Corses et des amis des Corses, des Occitans, des Basques ou encore l'Association des étudiants français, des HEC du Canada, des anciens combattants…

▶ **Immigrer.com**

Parmi les nombreuses pages consacrées à l'immigration au Québec et au Canada, le site Immigrer.com sort du lot avec son forum particulièrement actif. On peut en prendre la carte de membre en ligne, maintenant gratuite, et bénéficier de réductions sur les locations de voiture, les cours de langue du YMCA, votre futur déménagement international… On a également la possibilité d'y tester (gratuitement) son projet d'installation au Québec.

Ne pas couper le cordon ombilical

Il est facile de garder le contact avec la France de Montréal. Dans toutes les grandes librairies on trouve l'ensemble – ou presque – de la presse hexagonale et la plupart des livres dans la langue de Molière sont disponibles dans les librairies francophones. Côté télévision, outre TV5 Canada, présente sur tous les bouquets du câble et qui diffuse quelques émissions françaises, on peut s'abonner à la carte chez Vidéotron à la chaîne RFO Saint-Pierre-et-Miquelon (le réseau France Outre-Mer aujourd'hui appelé La Première). Côté restaurant, les choix sont multiples pour se sentir comme dans l'Hexagone : petit déjeuner à la Croissanterie Figaro (5200, rue Hutchison), déjeuner au Paris (1812, rue Sainte-Catherine-Ouest) et dîner à la brasserie L'Express (3927, rue Saint-Denis) avant de terminer la soirée devant une bonne bière et un match de foot sur les écrans du bar L'Barouf (4171, rue Saint-Denis) ou au bistro marseillais Le Massilia (4543, avenue du Parc).

Infos pratiques

▶ Ambassade de France
www.ambafrance-ca.org

▶ Assemblée des Français de l'étranger
www.assemblee-afe.fr

▶ Consulat de France
1501, avenue McGill College
☎ 514 878 4385
www.consulfrance-montreal.org

▶ Union française
429, avenue Viger-Est
☎ 514 845 5195
www.unionfrancaisedemontreal.org

▶ Montréal accueil
www.montrealaccueil.com

▶ Objectif Québec
www.objectifquebec.org

▶ Souriez-vous
www.souriezvous.com

▶ Immigrant Québec
www.immigrantquebec.com

▶ Expatriés France
www.expatries-france.com

Vous vous préparez à venir

Clef pour l'intégration au travail des immigrants

La **CITIM** peut vous aider à lancer votre projet professionnel dès votre arrivée

Tous nos services sont offerts **gratuitement** aux résidents permanents francophones, PVT et accompagnateurs de travailleurs qualifiés temporaires.

*1595, rue Saint-Hubert
Bureau 300
Montréal (Québec)
H2L 3Z1*

*Téléphone : 1.514.987.1759
Télécopieur : 1.514.987.9989
Sans frais : 1.866.987.1759
accueil@citim.org*

travailler au **Québec** ?

- De l'information sur les différents permis de travail et la demande de résidence permanente au Québec

- Des séances d'information sur les démarches d'installation à l'arrivée au Québec

- Une formation sur le monde du travail québécois, les codes culturels et les valeurs de la société québécoise.

- L'élaboration d'un plan d'action personnalisé pour l'emploi.

- Un service pour aider les diplômés en génie à obtenir le permis de l'Ordre des ingénieurs du Québec.

- Des ateliers sur les méthodes dynamiques de recherche d'emploi pour vous aider à trouver un emploi en Amérique du Nord et comprendre le marché du travail au Québec.

- Des activités de réseautage pour rencontrer des employeurs et s'informer sur les secteurs d'activité qui recrutent.

Québec

- Emploi Québec
- Immigration et Communautés culturelles

Liberté · Égalité · Fraternité
RÉPUBLIQUE FRANÇAISE
CONSULAT GÉNÉRAL
DE FRANCE
À MONTRÉAL

www.citim.org

Loisirs :
le choix des Montréalais

Loisirs : le carnet d'adresses des Montréalais

Culture, gastronomie, night life, sport et plein air : quatre Montréalais réputés pour leur expertise chacun dans leur domaine livrent leur sélection. Entre incontournables et coups de cœur plus subjectifs, grands classiques et bons plans d'initié, ils ouvrent grands leur carnet d'adresses aux nouveaux arrivants. Une manière de baliser plus sûrement les premiers repérages, avant de pouvoir dessiner une ville à sa mesure dans une offre volontiers pléthorique.

Stéphanie Laurin

En charge du tourisme culturel à Tourisme Montréal depuis quatre ans et impliquée dans l'industrie touristique depuis plus de 12 ans, les lieux culturels (grands classiques comme petites adresses) de Montréal n'ont aucun secret pour elle. Elle nous livre ses favoris.

Philippe Mollé

Responsable des cuisines du centre de recherche à l'Institut du tourisme et d'hôtellerie du Québec, avant d'ouvrir le restaurant de l'hôtel Vogue à Montréal, Philippe Mollé est critique gastro et auteur de divers ouvrages consacrés à la bonne chère au Québec. Aucune bonne table ne lui échappe. Philippe Mollé est membre de l'Académie culinaire et décoré de l'ordre du Mérite agricole en France.

Gaëtan Vaudry

Il est LA référence de la night life au Québec avec son site lestubbies.com. Depuis une décennie, il nous fait découvrir la nuit montréalaise et, souvent, y participe. Fondateur de l'agence GV Management, il s'occupe aujourd'hui des carrières de nombreux DJ qui font bouger les dancefloors du monde entier.

Josée Scott

Elle a toujours œuvré dans les domaines du sport et du plein air et dirige depuis 2000 l'organisme régional autonome Sport et loisir de l'île de Montréal. Pour elle, pas de doute, le sport constitue le meilleur vecteur d'intégration à Montréal.

Stéphanie Laurin travaille au sein de l'industrie touristique. Dans le cadre d'une entente entre la ville, le ministère de la Culture et Tourisme Montréal, cette passionnée collabore depuis l'année 2010 à la mise en œuvre d'un plan de développement du tourisme culturel dont l'objectif est de contribuer à maintenir la métropole dans les destinations urbaines les plus prisées en Amérique du Nord. Elle nous présente ici ses incontournables en matière de culture à Montréal.

Festivals d'été

« Montréal est connu pour ses grands festivals dont la plupart se tiennent chaque année dans le nouveau quartier des Spectacles, entièrement rénové. La saison des manifestations estivales débute mi-juin avec les Francofolies, puis viennent le célèbre Festival international de jazz de Montréal et Juste pour rire. En août, Osheaga attire au parc Jean-Drapeau et dans toute la ville de plus en plus d'amateurs de musique émergente. »

www.francofolies.com
www.montrealjazzfest.com
www.hahaha.com

Festivals d'hiver

« La saison froide n'est pas en reste et les Montréalais sortent même lorsque le thermomètre flirte avec les -20 °C. Le Vieux-Port s'anime en janvier avec l'Igloofest et ses concerts en plein air de musique électronique, puis c'est Montréal en lumière, autre fête hivernale qui se déploie en trois volets: les arts, les illuminations, la gastronomie. »

www.igloofest.ca
www.montrealenlumiere.com

Nuit blanche et Art souterrain

« Bien connue en France, la Nuit blanche se déroule à Montréal au cœur de l'hiver où elle vient clore le festival Montréal en lumière. Elle propose quelque 170 activités pour la plupart gratuites et reliées par un service de navettes. C'est également l'occasion de découvrir l'exposition Art souterrain, un parcours de 6 km ponctué d'œuvres d'art dans les couloirs et passages du métro et de la ville souterraine. »
www.artsouterrain.com

▶ Des créations actuelles

« Depuis de nombreuses années, la ville se veut un sol fertile pour la culture émergente. En témoignent les festivals Mutek, MEG Montréal, Zoofest, Pop Montréal, Elektra. Ces événements mêlant musique et arts visuels multimédias ont fait de Montréal une plaque tournante mondiale de la création contemporaine. Cette créativité est associée à des lieux de diffusion comme la Casa del Popolo, le Divan Orange ou le Lion d'Or… »
www.mutek.org
www.megmontreal.com
www.zoofest.com
www.popmontreal.com
www.elektrafestival.ca

▶ La Vitrine culturelle

« Située au cœur du quartier des Spectacles, véritable fenêtre sur la scène culturelle du Grand Montréal, La Vitrine est un guichet unique qui propose le calendrier complet des événements ainsi qu'un service de billetterie intégré où les offres de dernière minute alléchantes sont monnaie courante. Son environnement a été conçu par l'en-

treprise montréalaise de multimédia Moment Factory, aujourd'hui célèbre pour ses multiples créations dans le monde, comme à l'occasion du concert de Madonna lors du Super Bowl ou de spectacles de Céline Dion et d'Arcade Fire. »
www.lavitrine.com

▶ La Société des arts technologiques

« Les nouveaux espaces de la Société des arts technologiques (Sat) comprennent un atelier de recherche culinaire, une terrasse, des laboratoires d'expérimentation et… une coupole, sur laquelle sont projetées à 360 ° des productions visuelles immersives permanentes, en réseau avec le monde. »
www.sat.qc.ca

▶ Des galeries dans des lieux inusités

« Que ce soit dans une ancienne fonderie (la Fonderie Darling), une blanchisserie (la Parisian Laundry), un chantier naval (l'Arsenal) ou au sein de l'édifice Belgo, un ancien centre manufacturier de vêtements, l'art contemporain s'expose en grand et en toute originalité dans la métropole. De multiples autres galeries plus conventionnelles témoignent de la vivacité de nouveaux artistes

venus de partout et qui sont toujours plus nombreux à choisir Montréal, une ville où il fait bon vivre, pour créer leurs œuvres. »
www.fonderiedarling.org
www.parisianlaundry.com
www.arsenalmontreal.com
www.thebelgoreport.com

▶ Une ville complètement cirque

« On peut dire que Montréal est devenu la capitale internationale des arts circassiens. Siège du célèbre Cirque du Soleil, elle abrite également le Cirque Éloize, la compagnie Les 7 Doigts de la Main, une école nationale du cirque et un lieu unique, la Tohu, qui accueille spectacles et festivals. »
www.cirquedusoleil.com
www.cirque-eloize.com
www.7doigts.com
www.tohu.ca

▶ La foire Papier

« Papier est l'unique foire montréalaise entièrement dédiée aux dessins, gravures, photographies, collages, installations et autres œuvres sur papier. Elle se tient au cœur du quartier des Spectacles, sous une structure temporaire re-

groupant 38 galeries qui, ensemble, exposent plus de 400 artistes. »
www.papiermontreal.com
www.agac.qc.ca

▶ Le Théâtre de Verdure

« Le Théâtre de Verdure, situé au cœur du parc La Fontaine, propose une programmation axée danse et musique. Plus de 65 000 Montréalais vont en juillet et août dans ce lieu inspiré des théâtres antiques en plein air. Avant ou après un spectacle, il est très agréable de faire un tour au bistro culturel Espace La Fontaine. »
www.espacelafontaine.com

▶ Des musées grand public

« La ville peut s'enorgueillir de ses musées. En tête, celui des Beaux-Arts, récemment agrandi d'un nouveau pavillon consacré aux arts québécois et canadien et d'une salle de concert intégrant une rare collection de vitraux Tiffany. Le Mac (musée d'Art contemporain) est également un incontournable qui allie musique et arts le premier vendredi de

chaque mois. La carte Branché sur le Mac donne accès durant 365 jours à toutes les expositions du musée ainsi qu'aux Nocturnes (les vendredis) pour 20 $ par an : une affaire ! Parmi les autres grands musées de la ville, citons celui d'archéologie et d'histoire Pointe-à-Callière et le McCord, gardien du patrimoine canadien qui chaque été depuis 2011 sort dans la rue Victoria avec sa Forêt urbaine. »
www.mbam.qc.ca
www.macm.org
www.pacmusee.qc.ca
www.mccord-museum.qc.ca

Une tradition théâtrale

« La ville possède un riche passé théâtral. Aujourd'hui la scène montréalaise se porte plutôt bien, les créations sont nombreuses. Des salles comme le TNM, le Centaur, le centre Segal ou de plus petits théâtres tels le Quatre Sous, La Chapelle ou l'Usine C témoignent de cette vitalité. Chaque année, le festival TransAmériques, animé par le goût du risque et de l'audace, vient à la rencontre du public avec, en marge de sa programmation en salle, des spectacles de rue. »
www.fta.qc.ca

▶ Les cartes Musées Montréal

« Elles offrent la possibilité d'accéder librement à 38 musées. Trois cartes sont possibles : Trois jours sans transport (75 $); avec transport (80 $); carte prestige un an, avec la possibilité d'inviter une personne de son choix à chaque visite de musée ou de retourner deux fois dans le même musée (215 $). »
www.museesmontreal.org

▶ L'art public

« Il exprime la créativité et la diversité dans les rues et les espaces verts de la ville. Très présente dans le quotidien des citoyens, la collection municipale compte plus de 300 œuvres, les trois quarts d'entre elles se dressant à l'extérieur, les autres s'intégrant à l'architecture. À cela s'ajoutent les nombreuses fresques, autorisées ou non, qui fleurissent sur les murs de Montréal et deviennent une véritable attraction. Fer de lance des murales, l'organisme MU catalyse cet art démocratique fortement associé au développement social. »
www.mu-art.ca
www.ville.montreal.qc.ca
(rubrique « Activités et loisirs »)

▶ Des musées insolites

« Une multitude de petits musées méritent le détour, tels l'Écomusée du fier monde,

La danse et la musique classique

« Dans les différentes salles de la place des Arts se produisent les Grands Ballets canadiens qui revisitent le répertoire classique, mais aussi l'organisme Danse Danse dédié à la création contemporaine ou l'opéra de Montréal. D'autres lieux tels l'Agora de la Danse, les Ballets jazz de Montréal ou la célèbre compagnie Marie Chouinard témoignent de la vitalité de la danse. Quant à la musique classique, elle s'épanouit dans son nouvel écrin, la Maison symphonique, inaugurée en 2011. Ici jouent l'Orchestre symphonique de Montréal, dirigé par Kent Nagano, l'Orchestre métropolitain, des formations de jazz et d'autres groupes populaires. »

www.grandsballets.com
www.agoradanse.com
www.bjmdanse.ca
www.osm.ca

www.dansedanse.net
www.operademontreal.com
www.mariechouinard.com

installé dans une ancienne piscine; le Château Dufresne, implanté dans une demeure bourgeoise du début du XXe siècle; la maison Saint-Gabriel, haut lieu de la Nouvelle-France qui accueillit les Filles du Roy; le Redpath de l'université McGill. Citons aussi le Centre commémoratif de l'Holocauste, les Hospitalières de l'Hôtel-Dieu ou le musée des Maîtres et artisans du Québec. »

Bouillon Bilk

« Ce resto branché de la rue Saint-Laurent est assez éclectique, tant dans le nom que dans la cuisine ou la déco. Un décor minimaliste, une cuisine inventive mais jamais surfaite et un service courtois qui ajoute du bonheur à l'assiette. Poissons, fruits de mer ou gibiers sont à l'honneur et permettent de vivre l'expérience gourmande pour environ 50 $. On peut aussi y manger au comptoir ou seulement y boire un verre. »

> **Bouillon Bilk**
1595, boulevard Saint-Laurent ☎ 514 845 1595

▶ Europea

« Artiste du goût, Jérôme Ferrer est incontestablement le chouchou des Montréalais. L'affluence dans son restaurant le soir témoigne de cet engouement pour le chef vedette de l'heure au Québec. Sur trois étages, on savoure avec bonheur le fameux cappuccino de crème de homard, la poule de Cornouailles au foin et les desserts préparés par deux Meilleurs Ouvriers de France. Décor intimiste et petits salons, fort beaux choix de vins et la cuvée Adrien, le père de Jérôme Ferrer. »

> Europea
1227, rue de la Montagne
☎ 514 398 9229
Environ 100 $ par personne.

▶ Schwartz's

« Cette charcuterie hébraïque attire des foules de tous les milieux qui se confondent une fois à l'intérieur du lieu. Le décor est des plus rustiques et n'a guère changé depuis 80 ans. Un succès de longévité! Vous y dégusterez en compagnie de personnalités du sport, de la politique ou de la chanson la fameuse viande fumée et ses frites. Le tout est servi sans alcool, mais avec un Coke à la cerise. L'établissement, qui appartient désormais à Céline Dion et René Angélil, perpétue cette cuisine traditionnelle de la viande fumée considérée ici comme une des meilleures du monde. »

Érable et tradition à la cantine de la Binerie Mont-Royal

« Rien n'a changé depuis le tournage du film *Le Matou,* en 1985. Un endroit exigu avec quelques tables, des tabourets autour du comptoir et une multitude de tableaux et d'affichettes qui indiquent ici et là les spécialités de toujours. On y sert les fameux *beans* (haricots secs) cuisinés avec du porc – d'où le nom de Binerie –, les tourtières ou les ragoûts, la soupe aux pois ou le jambon, des tartes au sucre ou aux raisins et le grand-père en sirop, un beignet au sirop d'érable. Plus typique, tu meurs ! »

> **La Binerie Mont-Royal**
367, avenue du Mont-Royal-Est ☎ 514 285 9078
Environ 20 $ par personne.

> **Schwartz's**
3895, boulevard Saint-Laurent
☎ 514 842 4813
Service à emporter ouvert tous les jours. Environ 25 $ par personne.

▶ Primo & Secondo

« Montréal comprend une importante communauté italienne et de nombreux restaurants qui s'affichent comme tels. Le Primo & Secondo permet de vivre une expérience culinaire qui rappelle la Botte. Le décor est simple, mais cosy et agréable. L'établissement est situé à côté du marché Jean-Talon, parfait pour les emplettes et les multiples découvertes à y faire. À table, on savoure la côte de veau de lait, les croquettes de riz ou, encore, un risotto aux truffes accompagné de crus de Toscane. Beau choix de vins fins d'importation privée. »

> **Primo & Secondo**
7023, rue Saint-Dominique
☎ 514 908 0838.
Environ 80 $ par personne.

▶ Le meilleur japonais de Montréal

« Les meilleurs sushis de la ville. Le chef, Juni San, adore le vin. Il prépare une cuisine unique calquée sur celle du Japon, à laquelle il donne une touche européenne et un soupçon de Québec. Le décor zen, agréable pour un dîner en tête-à-tête, répond autant aux attentes des amoureux de cuisine nippone qu'aux hommes d'affaires qui souhaitent découvrir la gastronomie dans tous ses états. »

> Jun I
156, avenue Laurier-Ouest
☎ **514 276 5864**
Environ 100 $ par personne.

▶ Au Pied de Cochon

« On aime ou on déteste mais le concept est génial, il faut bien l'avouer. Poutine au foie gras, canard servi en conserve, plateau de charcuteries maison, et plus encore. L'ambiance est conviviale et presque trop parfois. Martin Picard est un personnage entier qui ne laisse que peu de place à la cuisine moderne. Chez lui on aime le gras, les portions pour personne bien portante… et la vie à la cabane à sucre dont il tire d'ailleurs un excellent sirop. Belle cave de vins d'importation privée. »

> Au Pied de Cochon
536, avenue Duluth-Est
☎ **514 281 1114**
Environ 90$ par personne.

Le brunch du Renoir

« C'est un des beaux brunchs du dimanche. L'hôtel Sofitel de Montréal et son restaurant Le Renoir proposent un superbe repas digne d'Épicure. Buffet magique de fruits de mer, saumon fumé, terrines, salades gourmandes, viennoiseries et autres délices sucrés concoctés par Noémie, la pâtissière émérite de cet établissement. Les plats principaux sont servis pour la plupart à l'assiette, le tout dans une ambiance branchée et une salle joliment décorée. Excellent choix de vins au verre et en bouteille issus de l'importation privée. Service de valet offert. »

> Le Renoir
1155, rue Sherbrooke-Ouest ☎ **514 285 9000**
Environ 65 $ par personne.

▶ Petit déjeuner à L'Express

« C'est une tradition pour quantité d'Européens que de venir à L'Express. La belle constance de la cuisine dans un cadre de bistro à la française permet d'apprécier tant les rillettes de lapin que l'œuf mayonnaise ou le filet de hareng pommes à l'huile.

Et, chaque matin, on prend un chouette petit déjeuner avec croissants et jus d'orange, mais aussi œufs au bacon ou bagels au saumon fumé. Un endroit unique, qui ne déçoit jamais. Ouvert tous les jours et tard le soir après le spectacle. »

> L'Express
3927, rue Saint-Denis ☎ **514 845 5333**
Environ 50 $ par personne.

▶ Night life vue par **Gaëtan Vaudry**, journaliste et président de GV Management

La boîte de nuit Apollon

« Le nouveau temple des dieux de la musique s'est rapidement imposé comme étant le plus diversifié de la métropole. Avec des résidents comme Stéphan Grondin, Alain Jackinsky, Étienne Ozborne, Steve Watt et Stéfane Lippé, l'établissement du Village (le périmètre gay) organise des soirées mixtes qui attirent une clientèle jeune et branchée. Le prix d'entrée compte parmi les plus raisonnables en ville. »
**1450, rue Sainte-Catherine-Est
www.apollonmtl.com**

Gaëtan Vaudry est cofondateur de www.lestubbies.com, LA référence de la nuit au Québec. Celui qui fait découvrir la vie nocturne montréalaise à bon nombre de noctambules depuis juin 2002 est devenu incontournable. Outre son site, il rédige une chronique night life dans *Être*. Fortement impliqué dans l'organisation des soirées montréalaises en septembre 2006, il a fondé l'agence GV Management, qui s'occupe aujourd'hui des carrières des DJ Nico Concerto, Tomy Villacorta, Egocentrix, PAKD.

▶ Bal en Blanc

« Chaque année, du jeudi au lundi de Pâques, Bal en Blanc propose plusieurs soirées de célébration, dont le point culminant est le mégaévénement Bal en Blanc, dans la nuit du dimanche au lundi. 15 heures de fête et de rythmes ininterrompus, où 15000 adeptes partagent cette expérience qui se déroule dans la diversité au palais des Congrès. »
www.balenblanc.com

▶ Beach Club

« Dès l'ouverture de la saison d'été, début mai, les amateurs suivent les chauds rayons du soleil et se ruent au Beach Club de Pointe-Calumet. Depuis 18 ans déjà, ce petit paradis « tropical » offre une magnifique plage, des terrasses, une piscine, des bars et un restaurant, à moins d'une demi-heure de Montréal! Des DJ de haut calibre y défilent toutes les semaines jusqu'en septembre et font du Beach Club un endroit de party. »
**701, Trente-Huitième Rue, Pointe-Calumet
www.beachclub.com**

▶ Black & Blue

« Créé en 1991 par un groupe d'amis avec pour objectif de s'amuser en faisant une bonne action (tous les profits étant reversés à une œuvre caritative), le Black & Blue est aujourd'hui devenu un festival à part entière s'étalant sur une semaine et qui attire des spectateurs du monde entier. La fondation BBCM (Bad Boy Club Montréal) est devenue un chef de file dans le

domaine communautaire, ayant donné depuis ses débuts plus de 1 250 000 $. »
www.bbcm.org

▶ Circus

« Classé 19ᵉ meilleur club au monde (premier au Canada) par le populaire *DJ Magazine* en 2012, le Circus est une boîte de nuit sans alcool qui propose la programmation la plus complète à Montréal. Trois salles accueillent des événements de musique électronique de classe internationale, du jeudi au dimanche. Propulsé par son fameux système Funktion-One, il ravit les amateurs de house, trance, techno… et de tous les autres styles. »
917, rue Sainte-Catherine-Est
www.circushd.com

▶ Buonanotte

« Un lieu où la jet-set de la métropole et de l'étranger se retrouve pour manger et passer une soirée en agréable compagnie. Le Buonanotte est la promesse que la passion collective pour les mets fins, le bon vin et le divertissement ne diminuera jamais. Établi depuis 1991 sur la Main, ar-

tère phare de la ville, l'établissement est fréquenté par les plus grandes personnalités du monde du sport, du cinéma et du divertissement de passage à Montréal, faisant tout simplement exploser sa notoriété tout autour du globe. »
3518, boulevard Saint-Laurent
www.buonanotte.com

▶ Club Laboom

« Installé dans l'enceinte même du légendaire Lime Light (temple disco de Montréal) sur la rue Stanley, le Club Laboom est La Mecque du divertissement pour les jeunes célibataires. Ouvert depuis maintenant plus d'une décennie, le complexe et ses diverses salles vous accueille les vendredis et les samedis au son d'une musique principalement commerciale. La salle principale du Club

Laboom est dotée d'un système de son de 26 000 watts et d'un jeu de lumières spectaculaire, à la pointe de la technologie ! »
1254, rue Stanley
www.clublaboom.com

▶ Peopl.

« Situé dans le Vieux-Montréal, le Peopl. est venu remplacer le très aimé Club U.N. en septembre 2012. Respectant le chic et le style douillet des Hôtels Boutiques rendus célèbres par Ian Schrager, il vise une clientèle mature et diversifiée (hétéros et homos) et propose des talents locaux ainsi que des artisans œuvrant dans le domaine des arts : peintres, graffeurs, décorateurs, photographes, designers de mode et de mobilier. »
390, rue Notre-Dame-Ouest
www.clubpeopl.com

New City Gas

« Probablement l'établissement le plus populaire en ville. Ce lieu de spectacle a été ouvert en 2012 au cœur du quartier en mutation de Griffintown. Il revendique fièrement des soirées avec des superstars comme Tiësto, Armin van Buuren, David Guetta, Steve Angello. Mark Knight, Bob Sinclar, Fedde le Grand, DJ Moby, entre autres. Construit entre 1859 et 1861 et sauvé de la démolition, le complexe de la New City Gas fait partie du patrimoine industriel de Montréal. *The place to be !* »
950, rue d'Ottawa
www.newcitygas.com

▶ Red Lite

« Situé à Laval, Rive Nord, le Red Lite comble depuis 1985 les oiseaux de nuit et ne cesse d'innover. Selon ses propriétaires, c'est le plus grand club after hours de l'est du Canada. Le Red Lite attire une clientèle qui aime la bonne musique, diffusée par un nouveau système de son de grande qualité. »
1755, rue de Lierre, Laval
www.red-lite.com

▶ Piknic Électronik

« Le Piknic Électronik se veut un lieu de rassemblement amical et familial unique, permettant de profiter à la fois du beau temps, d'une vue imprenable sur Montréal et d'une musique électronique de qualité de mai à septembre. L'événement hebdomadaire – présenté place de L'Homme du parc Jean-Drapeau – mélange les talents des scènes électroniques montréalaise et internationale. La bande du Piknic Électronik ne dort pas en hiver puisqu'elle propose de la mi-janvier à la première semaine de février le populaire Igloofest, dans le Vieux-Port. »

Le Passeport

« Actif depuis 1982, le sympathique bar de la rue Saint-Denis ne s'en laisse jamais imposer et reçoit un réseau électrifiant d'amis, de maniaques de party et de fanatiques de danse. Son équipe attentionnée répond à vos besoins et met sur pied de bien belles soirées, dont les Rebirth Nights (les mercredis) et les Exotek Nights (les vendredis). »
2037, rue Saint-Denis   www.barpasseport.com

www.piknicelectronik.com
www.igloofest.ca

▶ Stereo

« Autoproclamé temple du son de Montréal, le Stereo a vu défiler les plus grandes légendes de la musique house underground, des New-Yorkais David Morales, Frankie Knuckles, Victor Calderone, Deep Dish, Roger Sanchez, Peter Rauhofer, Danny Tenaglia jusqu'aux Euro-péens DJ Vibe, Carl Cox, Nicole Moudaber, Satoshi Tomiie, Benny Benassi, pour n'en nommer que quelques-uns. L'un des secrets de son succès? une foule hétéroclite, de cultures, origines, orientations sexuelles ou âges divers. »
858, rue Sainte-Catherine-Est
www.stereonightclub.net

▶ Terrasses Bonsecours

« Incontestablement l'endroit le plus branché du Vieux-Montréal, les Terrasses Bonsecours offrent un beau panorama sur le fleuve et la ville, des cocktails réinventés, un menu frais et appétissant et les meilleurs DJ de la métropole s'y produisent. Et on y trouve quatre terrasses extérieures très fréquentées l'été. »
364, rue de la Commune-Est,
quai du Vieux-Port
www.terrassesbonsecours.com

▶ Les sports vus par Josée Scott,
directrice de Sport et Loisir Montréal

Diplômée en récréologie et en gestion, Josée Scott, 47 ans, a toujours travaillé dans le domaine des sports et loisirs. Elle dirige Sport et loisir de l'île de Montréal (Slim) depuis l'année 2000, un organisme régional autonome et à but non lucratif. Sa passion, c'est le plein air, mais elle adore sa ville et les deux ne sont pas incompatibles… Selon elle, pratiquer une activité sportive constitue un excellent moyen d'intégration, et son conseil aux nouveaux arrivants est : « *Bougez !* »

Une ville nature

« Le patrimoine naturel de Montréal est riche. Outre plusieurs kilomètres de berges, l'île compte 22 grands parcs et parcs-nature accessibles à tous ceux qui veulent faire du vélo, courir, pique-niquer ou, l'hiver, se promener à skis de fond ou à raquettes. Ceux du bord de l'eau permettent des activités nautiques (baignade, canot, kayak, voile et rafting dans les rapides de Lachine). Certains sont encore des îlots de nature préservée recelant une grande variété florale et faunique : on y voit nombre d'oiseaux, des ratons laveurs, des marmottes, parfois des renards. Petite nouveauté de 2012, à l'instar de Paris, la ville possède dorénavant sa plage urbaine au cœur du Vieux-Montréal. Pas question cependant pour le moment de se baigner dans le port… reste le bronzage et le farniente. »

▶ La montagne en ville

« Le parc du Mont-Royal est une oasis, et ce en toute saison. Il offre des kilomètres de sentiers, pour la marche ou la course à pied en été et le ski de fond ou les raquettes en hiver. Sur le lac aux Castors, on peut faire du pédalo à la belle saison et patiner en hiver. Sur une des pentes du parc, des glissades sur « tube » sont aménagées dans la neige. De nombreuses sorties à thème sont organisées par Les Amis de la Montagne, qui ont leur quartier général et un pe-tit musée dans une maison plus que centenaire. »

Les Amis de la Montagne, maison Smith ☎ 514 843 8240 www.lemontroyal.qc.ca

▶ Équipements sportifs de haut niveau

« Ici, sportifs amateurs et confirmés se côtoient. Ville olympique en 1976, Montréal continue d'organiser de grands événements sportifs et ouvre à tous les installations où s'affrontent les futurs médaillés. Le complexe sportif Claude-Robillard regroupe une vingtaine de clubs et des groupes d'entraînement de haut niveau. Parents et enfants font du sport en amateurs sur les traces des grands champions québécois Alexandre Despatie (plongeon), Chantal Petitclerc (athlétisme paralympique), Lucian Bute (boxe anglaise). Dans l'est de la ville, le Centre sportif du Stade olympique accueille les nageurs et ceux qui veulent se maintenir en forme. Sur le circuit Gilles-Villeneuve, où est notamment organisé chaque année le Grand Prix de F1 du Canada, on peut pédaler en famille. Au stade de tennis du parc Jarry, où se déroule chaque été le tournoi inter-national de la Coupe Rogers, on peut prendre des cours à tout âge ou louer à l'heure un des 28 terrains (16 couverts, dont quatre en terre battue, et 12 en extérieur). »

www.ville.montreal.qc.ca/cscr
www.parcolympique.qc.ca
www.circuitgillesvilleneuve.ca
www.stadeuniprix.com

Du vélo à gogo

« Le réseau de pistes et de bandes cyclables de Montréal compte 650 km qui traversent l'île dans tous les sens. Chaque année, la Ville y ajoute quelques dizaines de kilomètres supplémentaires. Certaines pistes sont même déneigées en hiver, ce qui permet aux plus courageux de faire du vélo toute l'année ! La grande fête annuelle des cyclistes de tout poil est la Féria du vélo, qui rassemble durant une semaine plusieurs grands événements comme le Tour de l'île de jour et Un Tour la nuit, événement festif pour lequel les coureurs décorent leur monture, ou, encore, l'opération Vélo-boulot. »

www.velo.qc.ca   www.pedalmontreal.ca
www.pistescyclables.ca (toutes les pistes cyclables dans chaque ville et région du Québec)

▶ Montréal festif

« Certains arrondissements de Montréal, tel Ahuntsic-Cartierville, un précurseur, mettent en place chaque année un Festival sportif ouvert aux moins de 18 ans pratiquant un sport dans l'arrondissement même. Au cœur de l'hiver, de mi-janvier à début février, le parc Jean-Drapeau sur l'île Sainte-Hélène accueille la Fête des neiges. Une belle occasion de prendre l'air emmitouflé dans son gros anorak et coiffé de sa « tuque » (bonnet). On peut y glisser, patiner, faire de la raquette, du traîneau à chiens… Au printemps, les Jeux de Montréal donnent aux 6-12 ans une première expérience de la compétition. »

▶ Piscines couvertes et découvertes

« L'ouverture des piscines municipales extérieures sonne l'arrivée de la belle saison. Les étés sont ensoleillés à Montréal, et la Ville met gracieusement à la disposition de ses habitants 74 bassins extérieurs, 116 pataugeoires ainsi que 99 jeux d'eau ! Amplement de quoi se rafraîchir. L'hiver, on se rabattra sur les 47 piscines intérieures, également gratuites. En revanche, pour des raisons de personnel (constitué en majeure partie par des étudiants), les installations extérieures ferment fin août, ce qui est dommage car le mois de septembre est généralement chaud ici. »

www.ville.montreal.qc.ca
(rubrique « Activités et loisirs »,
«Sports et loisirs » puis « Piscines,
pataugeoires et jeux d'eau »)

Le hockey, sport national

« Au Canada, si le hockey sur glace fait la une des journaux et figure au cœur de bien des conversations, il est aussi très pratiqué. Pour les petits Québécois, l'initiation débute sur les patinoires de quartier (plus de 150 dans la ville, dont certaines sont réservées aux hockeyeurs) ouvertes dès que la température le permet et où se jouent de manière conviviale des matchs improvisés. Sur les quais du Vieux-Port et à côté du lac aux Castors, deux patinoires réfrigérées ouvrent de décembre à la mi-mars. Sur beaucoup de sites, on peut louer des patins. Les mordus s'inscrivent dans des clubs (une vingtaine) et s'entraînent dans des « arénas » (patinoires couvertes) plusieurs fois par semaine pour disputer des compétitions dès le plus jeune âge. C'est parmi eux que se trouvent peut-être les futures vedettes des Canadiens de Montréal, le grand club professionnel de la métropole et détenteur du plus grand nombre de victoires dans la fameuse Coupe Stanley. »

www.lehockey.ca   canadiens.nhl.com

▶ Ski de fond

« Skier en pleine ville, c'est possible. Outre le Mont-Royal et le Maisonneuve pour les plus connus, la plupart des grands parcs comprennent des pistes de fond. Balisées et entretenues, elles sont gratuites. Parfois, vous devrez toutefois vous acquitter d'un ticket de stationnement (9 $ pour la journée ou 6 $ pour deux heures) ou contracter un abonnement annuel (55 $). Certains sites vous permettent de louer du matériel. Le réseau de pistes le plus long (32 km) se trouve dans l'un des plus beaux parcs-nature de Montréal, celui du Cap-Saint-Jacques, à l'extrémité occidentale de l'île. Des randonnées à ski nocturnes sont organisées dans cinq parcs-nature. »

www.ville.montreal.qc.ca
(rubrique « Activités et loisirs »,
«Sports et loisirs » puis
« Activités dans les grands parcs »)

▶ Tous les sports

« Montréal étant de plus en plus multiculturel, on peut y pratiquer à peu près tous les sports, certains même exotiques pour l'Amérique du Nord tels le cricket ou le lawn bowling, appelé aussi boulingrin. D'autres, encore méconnus, sont tendance, comme l'ultimate, qui se joue avec un frisbee sur un terrain de «soccer» (football), de handball ou sur une plage. Enfin, sachez que depuis plusieurs années le soccer est venu détrôner le base-ball dans le cœur des jeunes Montréalais et la liste des lieux où l'on peut le pratiquer est longue. Les plus beaux terrains, dont certains sont dotés d'une surface artificielle, sont généralement réservés par les écoles ou les clubs, mais de petits terrains d'entraînement ou de quartier sont

accessibles à tous et tout le temps… quand les pelouses sont praticables. »
www.cricketmontreal.ca
www.bowlscanada.com
www.montrealultimate.ca

▶ Accessibilité pour tous

« Montréal prône l'accessibilité pour tous et à la cote auprès des athlètes handicapés. De nombreux équipements sportifs sont aménagés pour les fauteuils roulants. Au printemps, se tient le Défi sportif, une compétition internationale prélude aux Jeux paralym-

Un achat futé

« La carte Accès Montréal (8 $) permet de profiter d'avantages et de réductions dans plus de 100 endroits, pour par exemple s'abonner au Bixi, le réseau des vélos en libre-service, accéder aux courts de tennis du Centre sportif du Stade olympique, au Jardin botanique et à la plupart des musées. En général amortie dès sa première utilisation, elle est disponible dans les mairies d'arrondissement et les bibliothèques. »

piques. Une des porte-parole de l'événement n'est autre que la championne Chantal Petitclerc, dont le palmarès est impressionnant. Depuis ses premiers jeux, à Barcelone, en 1992, elle a glané 21 médailles dont 14 d'or ! »
www.defisportif.com

Tennis

« Les arrondissements mettent à la disposition des Montréalais 134 courts, pour la plupart gratuits mais sur réservation, de mai à octobre. Il suffit en général d'appeler pour retenir un terrain pour le jour même (ils ne sont pas pris d'assaut surtout en semaine) et le tour est joué ! »
www.ville.montreal.qc.ca
(rubrique « Activités et loisirs »)

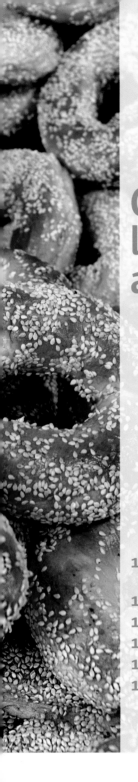

Consommation : les bonnes adresses

Les modes de consommation des Montréalais

▶ Sept jours sur sept

À l'image des Nord-Américains, les Montréalais sont de gros consommateurs. Ici on ne fait pas ses courses, on « magasine ». Et tout est fait pour que ce soit facile. Les supermarchés restent ouverts tard le soir, en général jusqu'à 21 h, sept jours sur sept. Les boutiques ont souvent des horaires d'ouverture différents selon les jours (de 10 h à 18 h les lundis et mardis ; de 10 h à 21 h les mercredis, jeudis et vendredis ; de 9 h à 17 h les samedis ; de 10 h à 17 h les dimanches). Quant aux magasins du centre-ville, autour de la rue Sainte-Catherine, on peut généralement y aller jusqu'à 21 h tous les jours.

▶ Soldes toute l'année

Ici, les soldes ne sont pas encadrés. On en profite au printemps, en été, pendant la fête du Travail, début septembre, avant les fêtes de fin d'année et, après Noël, avec le fameux Boxing Day du 26 décembre. Si l'on ajoute à cela les promotions et les divers rabais consentis à tout moment, il faut quasiment le faire exprès pour acheter un produit à plein tarif !

▶ Faire son épicerie

La plupart des Québécois s'approvisionnent dans les supermarchés (on dit « faire son épicerie »). Les grandes surfaces alimentaires sont

partout présentes. Elles sont propres, avec de larges allées, des rayons bien fournis y compris en produits frais. Il est rare de faire plus de quelques minutes de queue en caisse et, le plus souvent, un commis vous aide à emballer vos achats dans des sacs réutilisables.

▶ Le petit commerce se maintient

Malgré l'omniprésence des supermarchés, les petits commerces alimentaires gardent une place de choix dans le cœur des Montréalais. Chaque quartier possède son artère commerçante, avec ses boucheries-charcuteries, boulangeries, pâtisseries, traiteurs sans oublier les nombreuses épiceries spécialisées dans les produits exotiques ; Montréal revendique sa multiethnicité dans ses boutiques. Quatre grands marchés qui font la part belle aux petits producteurs dressent leurs étals quotidiennement.

▶ Des prix à géométrie variable

L'addition au Québec n'est pas plus salée qu'en France. Il faudra pourtant adopter de nouvelles habitudes. Les produits importés, vins et fromages de l'Hexagone, sont ici plus chers. Pour les vins, le transport et les taxes y sont pour beaucoup. Quant aux fromages, n'hésitez pas à abandonner camembert et saint-nectaire pour découvrir les 300 variétés québécoises, souvent de qualité, que l'on trouve à des prix raisonnables.

▶ Les « spéciaux »

Boutiques et supermarchés proposent chaque jour des promotions (les Montréalais parlent de « spéciaux ») offrant d'importantes réductions sur divers articles, du jus d'orange au rôti de bœuf en passant par les surgelés et les conserves. Sinon, comme en Europe, les supermarchés ont développé leurs propres marques, plus abordables.

▶ **Le royaume du crédit**

À moins que vous ne payiez en liquide, le caissier vous demandera immanquablement: « Crédit ou débit? » Il s'agit là de deux types de cartes de paiement. Avec la débit, vous serez immédiatement prélevé sur votre compte. La carte de crédit – il en existe plus de 225 au Canada – comporte une différence notable avec la carte Bleue française: les montants des achats s'y accumulent et, à la fin du mois, l'organisme financier qui la gère vous présente la note, que vous pouvez choisir de payer sur-le-champ ou plus tard. En cas de report, le solde sera transformé automatiquement en crédit à la consommation à des taux d'intérêt extrêmement élevés (jusqu'à 20% et même plus). On compte pourtant de nombreuses cartes à faible taux sur le marché, dont certaines portent un taux d'intérêt inférieur à 13 %. Soyez donc prudent. On vous proposera ces cartes dans les banques bien sûr, mais aussi dans les grands magasins et même les stations-service. Leur multiplication fait rapidement grimper le nombre de factures dont il faut s'acquitter, si bien qu'à la fin il faut presque un comptable pour faire les comptes du ménage!

▶ **L'e-commerce**

Le Québec connaît un boum des achats sur le Net, qui concerne avant tout les billets de spectacle, de cinéma ou de divertissement, mais aussi les voyages, les séjours ainsi que la musique. En revanche, les courses dans les supermarchés en ligne sont encore rares au Québec. Certains comme IGA offrent toutefois ce service ou une possibilité de livraison. Pratique pour ceux qui ne possèdent pas de voiture.

▶ **La politique des « retours »**

Au Québec le client est roi! Il est en tout cas plus choyé qu'en France. Il est par exemple facile de rendre un objet acheté dans un commerce sans qu'il soit défectueux. C'est la politique commerciale du « retour ». Juridiquement, un commerçant n'est pas obligé de reprendre ou d'échanger un bien, mais la majorité y consent, à condition bien sûr que le produit soit en bon état et ramené dans un délai raisonnable. Les grands magasins sont souvent les plus arrangeants. Un doute sur la couleur de votre nouvelle housse de couette? on vous la change. Vous avez acheté trop de peinture pour rafraîchir votre cuisine? vos pots non entamés sont repris. Le transat que vous venez d'acquérir est soldé deux semaines après que vous l'avez acheté? retournez à la boutique, on vous remboursera la différence!

▶ **Concurrence et alignement sur les prix**

La plupart des magasins se livrent une concurrence acharnée et proposent des promotions et rabais en tout genre publiés dans des « circulaires » (le mot québécois pour prospectus) glissées dans votre boîte à lettres. Imaginons, par exemple, une télévision affichée à un certain tarif par un magasin. Toutes les enseignes rivales accepteront de vous vendre ce téléviseur au même prix que leur concurrent. N'hésitez pas à comparer les tarifs.

Centre-ville ou centres commerciaux ?

Les grandes zones commerciales (on parle ici de « centres d'achat ») de la périphérie supplantent les commerces du centre. En sont responsables les diverses enseignes, boutiques de vêtements, chaînes de magasins, autrefois présentes dans les seules grandes artères de Montréal, qui se multiplient dans les centres commerciaux ou dans les banlieues le long des autoroutes. Les centres d'achat rassemblent tout ce dont le consommateur peut avoir besoin: alimentation, vêtements, bricolage, matériel électronique… Ces lieux de vente excentrés aux décors parfois somptueux comme au Carrefour Laval, au centre Rockland ou dans le récent quartier Dix 30, à Brossard, font une concurrence sévère aux galeries marchandes d'un cœur de ville où il devient de plus en plus difficile de se garer.

Tout Montréal se déplace pour...
Alimentation et épicerie fine

▶ **Les meilleures boulangeries**

Fini le temps où Montréal devait se contenter de mauvais pain ou, pire, de pain de mie industriel. Aujourd'hui, il est bon, voire excellent et on en trouve à quasiment tous les coins de rue. Seul bémol, son prix : la baguette, qui peut être vendue près de 3 $, devient un produit de luxe ! Première Moisson compte 24 points de vente dans la grande région de Montréal où sont vendues pas moins de 30 variétés de pains. Autre boulangerie ayant ouvert plusieurs succursales, Au Pain Doré, à notre avis un cran en dessous, mais qui a ses adeptes.

> Première Moisson
www.premieremoisson.com
> Au Pain Doré
www.aupaindore.com

▶ **Les poissonneries**

Même si Montréal n'est pas réputé pour ses poissons (la mer est loin), la ville offre quelques bonnes adresses. Citons ainsi la Poissonnerie Falero, sans doute la plus ancienne et spécialisée dans le saumon ; Les Délices de la Mer au marché Jean Talon,

Les marchés

Inauguré en 1933, le marché Jean-Talon est une institution de la bonne bouffe montréalaise. Il ressemble à ses homologues européens, avec ses étals de petits producteurs et ses terrasses où les bobos dégustent des produits du monde entier. Sa partie couverte accueille de belles boutiques de produits du terroir québécois. Mais la plus grande activité se trouve à l'extérieur, où de nombreux agriculteurs et grossistes vendent leur production. Au printemps et en été, c'est une véritable ruche. La plupart de ces kiosques saisonniers ferment en hiver, et Jean-Talon entre alors en semi-léthargie pour mieux renaître au printemps. Le marché Atwater, dans l'ouest de la ville, date également des années 30 comme en témoigne son grand bâtiment élégant de style art déco. Bien visible le long du canal Lachine grâce à sa haute tour, il regorge sur deux étages de magasins d'alimentation réputés, de primeurs, de boucheries, de fromageries et de boutiques spécialisées comme Les Douceurs du Marché, qui vend de bons produits d'importation, une véritable caverne d'Ali Baba pour les huiles, vinaigres et épices. Le marchés couverts Maisonneuve et de Lachine offrent également des produits frais toute l'année.

> **Marché Jean-Talon** 7070, avenue Henri-Julien
> **Marché Atwater** 138, avenue Atwater
> **Marché Maisonneuve** 4445, rue Ontario Est
> **Marché de Lachine** 1875, rue Notre-Dame à Lachine

avec sa splendide sélection d'huîtres (plus d'une vingtaine de sortes) ; Odessa l'Entrepôt, la plus grande poissonnerie de Montréal, surnommée parfois l'Entrepôt Norref.

> Poissonnerie Falero
5726-A, avenue du Parc
☎ 514 274 5541 www.falero.ca

> Les Délices de la Mer
7070, rue Henri-Julien ☎ 514 278 1000

> Odessa l'Entrepôt
4900, rue Molson, suite 100
☎ 514 908 1000

▶ Produits européens

Que ce soit La Vieille Europe, Gourmet Laurier ou Milano, dans la Petite-Italie, ces temples de la nourriture attirent beaucoup d'immigrants en mal du pays. On y trouve toute la variété des aliments qui font la gastronomie européenne et plus encore.

> La Vieille Europe
3855, boulevard Saint-Laurent
☎ **514 842 5773**

> Gourmet Laurier
1042, avenue Laurier-Ouest
☎ **514 274 5601**

> Milano
6862, boulevard Saint-Laurent
☎ **514 273 8558**

▶ Les boucheries et les charcuteries

Si la viande vendue dans les supermarchés est très bonne, à la condition de bien lire les étiquettes, vous trouverez la meilleure sur les marchés publics de la ville ainsi que dans les multiples boucheries concentrées pour la plupart dans l'arrondissement Plateau-Mont-Royal. À signaler, également, les saucisses de la chaîne William J. Walter qui vous en feront voir de toutes les couleurs. Enfin, sachez que tout le gibier vendu au Québec est d'élevage, car il est interdit de vendre les produits de la chasse.

> Boucherie Champfleuri
1577, avenue Mont-Royal-Est
☎ **514 529 0314**

> Les Volailles et Gibiers Fernando
116, rue Roy-Est ☎ **514 843 6652**

> Chez Vito **5180, rue Saint-Urbain**
☎ **514 277 1981**

> Le Maître Boucher
5719, avenue de Monkland
☎ **514 487 1437**

> La Queue de Cochon
6400, rue Saint-Hubert
☎ **514 527 2252**

> William J. Walter
www.williamjwalter.com

Vins et spiritueux

La Société des alcools du Québec (Saq) est mandatée pour exercer le commerce des boissons alcoolisées. Résultat : un quasi-monopole, mais aussi un gage de qualité et de conseil par rapport aux supermarchés et autres petites boutiques dont les produits sont souvent bas de gamme. On achète de tout dans les multiples succursales de Montréal classées selon leur taille et leur standing : on trouve ainsi des Saq Dépôt (il s'agit dans ce cas d'un entrepôt plutôt que d'un magasin), Express, Sélection, Signature. Une fois passé le choc des prix, on peut toujours fouiner pour trouver de bons crus européens, sud-américains ou californiens entre 20 $ et 25 $. N'hésitez pas à commander vos vins en ligne et à vous faire livrer : la Saq ne facture ni l'emballage ni la manutention et prend à sa charge la moitié des frais postaux.
www.saq.com

Tout Montréal se déplace pour...
Mode et bien-être

▶ La Montréal touch

Soyons francs, en matière de mode, Montréal n'est ni Paris, ni New York, ni Milan. La métropole québécoise a beau avoir sa Semaine de la mode, en février, à l'instar de ses trois consœurs, il n'y a pas vraiment de touch montréalaise. Bien sûr, on trouve ici des boutiques chics et de très beaux magasins comme Ogilvy. Mais Montréal est surtout une ville où tout ou presque est permis. Contrairement à Paris, par exemple, vous pourrez faire vos courses en jogging, vêtu en gothique ou en total look mode, le regard des autres demeurera le même.

Le made in Montréal

Vous souhaitez vous habiller à la québécoise ? Alors, poussez la porte des boutiques Jacob, Bedo, Maillagogo, Parasuco, Aldo etc. Les trois designers les plus célèbres de Montréal sont Marie Saint-Pierre, Denis Gagnon et Philippe Dubuc, mais ils comptent de multiples émules. Sinon, le site Mode Montréal recense les lieux où l'on peut acheter des vêtements créés (et pour certains confectionnés) dans la métropole.

> Mode Montréal www.modemontreal.tv

▶ La vintage attitude

Pour des habits pas chers, allez dans les friperies du boulevard Saint-Laurent. Une des plus connues se trouve dans le bas de la Main, au croisement avec la rue Ontario : Eva B est un capharnaüm rempli de vêtements à quelques dollars dans lequel on peut rester des heures entières et changer de style pour une somme dérisoire. Plus au nord, à l'angle de la rue Duluth, cinq autres boutiques proposent des habits et des accessoires vintage : la Friperie Saint-Laurent, Rokokonut, Kitsch'n Swell, Cul-de-Sac et Kilo Fripe, qui vend au poids.

> Eva B
2013, boulevard Saint-Laurent
> Friperie Saint-Laurent
3976, boulevard Saint-Laurent
> Rokokonut
3972, boulevard Saint-Laurent
> Kitsch'n Swell
3972, boulevard Saint-Laurent
> Cul-de-Sac
3794, boulevard Saint-Laurent
> Kilo Fripe
3800, boulevard Saint-Laurent

▶ L'élégance au masculin

La plupart des Montréalais arborent un style décontracté typiquement nord-américain. Pas de grands créateurs de mode masculine comme en Italie, mais des gens talentueux à l'image de Philippe Dubuc, qui pourrait parfaitement incarner l'élégance québécoise. Citons aussi Tristan, présent dans la ville et sa banlieue, qui dessine, fabrique (en partie) et distribue lui-même ses collections au Canada.

> Philippe Dubuc
417, rue Saint-Pierre ☎ **514 282 1465**
www.dubucstyle.com

> Tristan
www.tristanstyle.com

▶ 100 % jeans

Les amateurs de denim seront comblés. Une bonne adresse est le magasin du Mile End Jeans Jeans Jeans, qui vend toutes les marques à prix cassé… où en plus on vous fait l'ourlet gratuitement. C'est aussi le cas dans une autre boutique spécialisée, Pantalons Supérieur, cette fois au cœur de la ville.

> Jeans Jeans Jeans
5575, rue Casgrain ☎ **514 279 3303**
www.jeansjeansjeans.ca

> Pantalons Supérieur
69, rue Sainte-Catherine-Est
☎ **514 842 6969**
www.pantalons-superieur.com

La passion des spas

Depuis une dizaine d'années, les Québécois se sont pris de passion pour les spas. On voit leur nombre se développer partout dans la province. Il y a les urbains, au cœur de la ville, et les traditionnels (nombreux dans la région de Montréal), en pleine nature. Sauna, bain chaud ou froid, bain de vapeur aromatisé, massage, soins du corps, détente, la recette est sensiblement la même dans tous les établissements. Reste le cadre, exotique et de style indonésien à l'Espace Nomad, urbain avec vue sur le mont Royal au Spa Eastman, design au Scandinave les Bains, hammam au Rainspa… Mais le plus impressionnant est sans doute le Bota Bota, un spa flottant installé sur un ancien navire ancré dans le Vieux-Port. On s'y baigne été comme hiver en plein air avec vue sur les gratte-ciel.

> **Espace Nomad** 4650, boulevard Saint-Laurent
☎ 514 842 7279 www.espacenomad.ca

> **Spa Eastman**
666, rue Sherbrooke-Ouest ☎ 514 845 8455

> **Scandinave les Bains Vieux-Montréal**
71, rue de la Commune-Ouest ☎ 514 288 2009
www.scandinave.com/fr/montreal

> **Rainspa** 55, rue Saint-Jacques
☎ 514 282 2727 www.rainspa.ca

> **Bota Bota** Vieux-Port coin McGill
et de la Commune Ouest
☎ 514 284 0333 botabota.ca

La mode hivernale

Comme les hivers québécois sont rudes, il est important de s'habiller chaudement. À Montréal, les vestes et manteaux offrant à la fois qualité, protection contre le froid et style se trouvent à la boutique Kanuk sur le Plateau-Mont-Royal. Les prix sont hélas à la hauteur de la réputation de la marque. Pour des articles plus économiques, on fréquentera les magasins des chaînes l'Aubainerie (fondée au Québec, la mode à des tarifs abordables), Winners (grandes marques et petits prix) ou L'Équipeur (vêtements de travailleurs, entre autres).

> **Kanuk** 485, rue Rachel-Est ☎ 514 284 4494 www.kanuk.com > **Aubainerie** www.aubainerieconceptmode.com
> **Winners** www.winners.ca > **L'Équipeur** www.lequipeur.com

▶ Les piscines anciennes

Vestiges de la croissance industrielle et des premières décennies du XXᵉ siècle, les bains de Montréal méritent le détour. Certains ont été détruits, d'autres convertis en musée, salle de spectacle voire en appartements. Il reste pourtant encore quelques joyaux dont le bassin est toujours ouvert au public.

> Bain Morgan **1875**, avenue Morgan ☎ 514 872 6657

> Bain Émard **6071**, rue Laurendeau ☎ 514 872 2585

> Piscine Schubert **3950**, boulevard Saint-Laurent ☎ 514 872 2587

> Piscine Rosemont **6101**, Huitième Avenue ☎ 514 872 6622

Tout Montréal se déplace pour...
Loisirs culturels

▶ Musique et films

Deux disquaires sont renommés à Montréal: Archambault (également libraire), avec son magasin historique du centre-ville (près de l'université du Québec) et six succursales dans la région; HMV, et ses dix annexes réparties dans les centres commerciaux. À noter que l'on peut aussi y acheter des livres et toutes sortes de choses à offrir.

> Archambault **www.archambault.ca**

> HMV **1020, rue Sainte-Catherine-Ouest www.hmv.ca**

▶ Matériels électroniques

Best Buy et sa filiale Future Shop sont incontournables. On trouve des boutiques de ces marques dans tous les grands centres d'achat. Il est également possible d'acquérir de l'électronique dans la plupart des magasins de meubles; le matériel y est moins hi-tech, mais on peut parfois y bénéficier de meilleurs crédits. Enfin, une multitude de petites boutiques vendent de

l'électronique neuf, réusiné ou d'occasion. Vous pourrez y faire des affaires si vous êtes vigilant (demandez par exemple à vérifier le bon fonctionnement de l'article avant de l'acheter). Quant aux utilisateurs de Mac, ils trouveront quatre Apple Store: à Laval (Carrefour Laval), en centre-ville (1321, rue Sainte-Catherine-Ouest) et dans l'Ouest-de-l'Île (à Fairview-Pointe Claire, le long de la Transcanadienne) et à Brossard au DIX30.

Livres et libraires à Montréal

Les livres coûtent en général plus cher au Québec que dans l'Hexagone. Si l'on considère par exemple le dernier Patrick Modiano (prix Nobel de littérature 2014), il se vendait 29,95 $ chez Renaud-Bray contre 16,90 € en France; l'écart est moins important en version poche, Germinal est proposé à 5,95 $ contre 3,80 €.Contrairement à ce qui passe dans l'Hexagone, où est appliqué depuis quelque 30 ans le tarif unique, les prix varient entre les Walmart, Costco, Renaud-Bray ou les librairies de quartier. Mais le modèle français continue de faire son chemin, afin de préserver le dynamique tissu des indépendants. Deux grands

groupes de libraries sont présents à Montréal: Renaud-Bray et Chapters-Indigo, ce dernier propose une grande sélection de livres en anglais mais vend tout de même des ouvrages dans la langue de Molière. Malgré la crise du livre, des indépendants subsistent, comme L'Écume des Jours, spécialisée en littérature étrangère, la minuscule Librairie du Square ou, encore, deux magasins qui proposent également un large choix de littérature jeunesse et BD, Monet et Alire. Enfin, pour tous ceux qui disposent d'un budget serré ou aiment les vieux papiers, il existe de multiples adresses où acheter des livres d'occasion.

> **L'Écume des Jours**
420, rue Villeray
☎ 514 278 4523

> **Librairie du Square**
3453, rue Saint-Denis
☎ 514 845 7617

> **Monet** 2752, rue de Salaberry
☎ 514 337 4083

> **Alire** place Longueuil, Longueuil
☎ 450 679 8211

> **Renaud-Bray**
www.renaud-bray.com

> **Chapters-Indigo**
www.chapters.indigo.ca

> **Le Lecteur**
www.lelecteur.ca
(rubrique « À propos du lecteur » puis « Bouquinistes »)

Tout Montréal se déplace pour...
Décoration, maison, puces

▶ Contemporain ou vintage

La partie du boulevard Saint-Laurent située entre les rues Duluth et Saint-Viateur est tendance. Les amateurs de meubles et de décoration y achèteront du mobilier contemporain de fort belle qualité. Ceux qui aiment le vintage ou le style industriel craqueront pour Phil'z, boutique étonnante de trois étages. Le royaume du vintage reste cependant la rue Amherst, entre la rue Sherbrooke

et le boulevard Maisonneuve, où se dressent divers magasins et brocantes. Parmi eux, Jack's, avec sa vaste sélection de mobilier des années 50 à 80 dans un bric-à-brac sympathique.

> Phil'z
5298, boulevard Saint-Laurent
☎ **514 278 2323**

> Jack's **1883, rue Amherst**
☎ **514 596 0060**

▶ Occasions

Une façon de se faire plaisir sans se ruiner consiste à parcourir les annonces

de Kijiji. Les Québécois déménagent fréquemment et aiment changer d'univers; on trouve donc de vraies bonnes occasions sur ce site de vente pour les particuliers. Et si vous avez quelques beaux meubles anciens, n'hésitez pas à les apporter au Canada. Ils feront fureur auprès de vos amis car ils sont rares et, si un jour vous vous en lassez, un antiquaire vous les reprendra à un très bon prix!

> Kijiji **www.kijiji.ca**

Le marché aux puces

Beaucoup de Montréalais ignorent l'existence de cette caverne d'Ali Baba située le long de l'autoroute métropolitaine, à proximité du boulevard Saint-Michel. Il faut effectivement connaître le lieu pour avoir envie d'y entrer. Derrière la façade peu attirante d'un entrepôt défraîchi, se cache le seul vrai marché aux puces intérieur de la ville ouvert toute l'année. Et il vaut le déplacement! Du rétro, du design, du kitsch, l'éventail des objets proposés est large: bijoux, vinyles, foulards en soie, magazines, livres, jouets... Mais aussi des meubles, des lampes, des tableaux. Entre l'article ordinaire et l'exceptionnel, un œil averti saura dénicher la bonne affaire dans ce bazar. L'endroit est grand, mais les échoppes, environ 85, sont parfois minuscules. Claustrophobes et allergiques s'abstenir! Et n'oubliez pas d'emporter de l'argent liquide, ici les cartes bancaires et de crédit font partie de la science-fiction!

> **Le marché aux puces Saint-Michel**
3250, boulevard Crémazie-Est
Ouvert du vendredi au dimanche de 9h à 17h.

Incontournable rue Saint-Denis

Dans sa portion comprise entre les rues Roy et Villeneuve, l'artère Saint-Denis accueille de belles boutiques de décoration dont Zone, un incontournable du design intérieur. Vous y trouverez aussi quelques enseignes françaises ou européennes de linge de maison appréciées des immigrants. Citons Carré Blanc mais aussi Arthur Quentin, spécialisé dans la table et la cuisine, ainsi que Lin et Coton, qui vend de fort beaux articles de literie et de salles de bains. Attention, les prix sont plutôt élevés.

> **Zone** 4246, rue Saint-Denis ☎ 514 845 3530   > **Carré Blanc** 3999, rue Saint-Denis ☎ 514 847 0729
> **Arthur Quentin** 3960, rue Saint-Denis ☎ 514 843 7513   > **Lin et Coton** 3873, rue Saint-Denis ☎ 514 658 1338

▶ **Meubles à monter soi-même**

Les Français qui débarquent au Québec apprécient en général le style moderne des accessoires et des meubles, dont plusieurs à monter soi-même, de Structube. La chaîne a ouvert plusieurs succursales à Montréal et en banlieue. Quant aux fans d'Ikea, qu'ils se rassurent, la métropole compte deux magasins du géant suédois.

> Ikea **919, boulevard Cavendish**
586, rue de Touraine, Boucherville
www.ikea.ca

> Structube
www.structube.ca

▶ **L'électroménager**

Inutile de venir au Québec avec votre électroménager. Les normes sont différentes en Amérique du Nord. Pour vous équiper, allez dans l'une des enseignes présentes à Montréal tels Brault & Martineau, Meubles Léon, Brick… Ces grandes surfaces po-

pulaires vendent meubles et gros appareils ménagers (lave-linge, cuisinière, lave-vaisselle…) et pratiquent des crédits gratuits sur 12, 24, 36 voire 50 mois ! Les nouveaux arrivants apprécient aussi le centre de liquidation Elvis, qui offre un vaste choix d'appareils des meilleures marques. Des articles neufs à prix d'entrepôt, de seconde main ou légèrement endommagés.

> Elvis
4349, avenue Papineau
☎ **514 278 2323**

Tout Montréal se déplace pour...
Grandes enseignes

▶ Des hypermarchés concurrentiels

On trouve trois grands groupes de supermarchés au Québec : IGA, Métro (à qui appartient Super-C), Loblaw (à qui appartiennent Provigo et Maxi). Super-C et Maxi sont les plus économiques. Les quatre autres enseignes se ressemblent. En général, plus le supermarché est grand, plus il affiche une belle variété de fruits et légumes, de viandes, de poissons et autres produits frais... et de paquets de biscuits européens, ce qui fait toujours plaisir ! Comme en France, chaque supermarché à ses marques maison : Choix du Président, Sans-Nom (oui, ça existe vraiment), Formats Club, Bon au Possible, Exact...

▶ Costco Wholesale

Venu des États-Unis, voici un acteur à part dans le monde des supermarchés, car ici on ne parle pas de magasins mais d'entrepôts. Il en existe une dizaine dans Montréal et sa banlieue qui pratiquent des prix compétitifs sur des articles de qualité et de marques renommées. Gare toutefois aux quantités, beaucoup de produits n'y sont proposés qu'en format familial. Il faut obligatoirement détenir une carte de membre (coût annuel : 55 $) pour s'y rendre. On n'y accepte pas d'autre carte de crédit que celles de Costco

ou Mastercard, qui procurent des points de fidélité convertibles en argent à la fin de l'année. Mais on peut cependant payer comptant avec une carte débit.

▶ Le royaume du bricolage

Les Québécois adorent bricoler. Ils passent beaucoup de temps à rénover leur habitat. Côté boutiques, ils sont gâtés. Plusieurs chaînes se partagent ce marché juteux dont les plus connues sont Home Dépôt, Réno Dépôt, Rona, BMR, Canadian Tire... Dans toutes ces enseignes, on re-

trouve peu ou prou la même organisation intérieure au sein de grands hangars un peu froids. Comme son nom l'indique, Canadian Tire est spécialisé dans les accessoires automobiles, mais on peut y acheter presque tout, de l'habillement de tous les jours à l'équipement sportif aux ustensiles de cuisine en passant bien sûr par... des pneus, ce qui donne cette odeur si particulière dès qu'on pénètre dans le magasin.

▶ Une bonne adresse

Pour résoudre vos problèmes de branchements qu'ils soient électriques, électroniques, informatiques, mais aussi si vous avez besoin d'adaptateurs, de transformateurs, d'ampoules ou de petit matériel électronique, allez chez Addison. On trouve tout et bien moins cher qu'ailleurs dans ce magasin fréquenté aussi bien par les professionnels que les amateurs.

> Addison
8018, Vingtième Avenue
☎ **514 376 1740**
www.addison-electronique.com

Enfance
et scolarité

135

Petite enfance :
les solutions de garde

▶ Paradis des familles

Précision sémantique : au Québec, le terme usuel pour l'équivalent français de la crèche est « garderie » (« crèche » renvoie à l'orphelinat). Globalement, le système des garderies est apprécié et il est si peu onéreux que la province est souvent qualifiée de paradis des familles, avec un tarif pour les garderies subventionnées à partir de 7,30 $ par jour. Mais attention, la demande excède l'offre et il faut parfois recourir au service privé. Faire garder son enfant peut alors coûter jusqu'à 60 $ au quotidien, bien qu'en général il faille plutôt compter entre 25 et 35 $. Lorsque l'on opte pour une garderie privée, on peut alors bénéficier d'un crédit d'impôt de 50 à 60 % des sommes engagées. Divers systèmes sont proposés aux petits de la naissance à cinq ans, âge habituel de l'entrée en maternelle. Toutefois, comme la durée du congé parental au Québec est de 12 mois, la plupart des moins d'un an ne fréquentent pas la garderie ou y vont à temps partiel.

▶ Centres de la petite enfance

Les CPE, structures à but non lucratif subventionnées à 82 % par le gouvernement, dispensent un service de garde et d'éducation. Les parents sont au cœur des décisions : ils représentent les deux tiers du conseil d'administration de ces centres. Le coût d'un CPE s'élevait jusqu'en octobre 2014 à 7 $ par jour, d'où le surnom communément donné à ces établissements de Garderies à Sept Dollars. En 2015, ce tarif a évolué à la hausse en fonction du revenu fami-

> *Mes amies m'avaient prévenue : trouver une garderie serait difficile. Dès que j'ai su que j'étais enceinte, je me suis inscrite sur les listes d'attente avec l'espoir d'obtenir une place 20 mois après. Mon congé de maternité se termine et je n'ai toujours pas de solution pour ma fille. J'ai pourtant contacté plusieurs garderies. Certaines me répondent qu'elles n'ont pas de place, d'autres en ont maintenant, mais il n'est pas possible de les réserver. Il faut être là au bon moment... et être prête. Je me suis donc tournée vers les structures privées. Ma fille va probablement aller dans une garderie qui me coûtera un peu plus cher malgré le crédit d'impôt gouvernemental.*

Isabelle, 30 ans travailleuse autonome dans l'édition.

lial. Le tarif journalier d'une place en CPE s'étend ainsi de 7,30 à 20 $. Il existe environ un millier de CPE au Québec, soit un total de 240 000 places dont près de la moitié est proposée en milieu familial, c'est-à-dire dans un logement privé. Malgré de gros investissements depuis la création des CPE, en 1997, la province peine à répondre à la demande. Aussi est-il conseillé de s'inscrire sur les listes d'attente le plus tôt possible.

▶ **Les garderies**
Subventionnées et à but non lucratif ou privées, les garderies accueillent de six à 80 enfants selon les mêmes règles que les CPE. La majorité de ces structures ont conclu une entente de subvention avec le ministère de la Famille et proposent des places subventionnées. Les garderies qui ne sont pas prises en charge fixent en général elles-mêmes leur prix (le plus souvent entre 30 et

35 $ par jour). Toute garderie peut offrir des services à temps plein ou partiel.

▶ **Garderies éducatives en milieu familial**
Les garderies éducatives en milieu familial reçoivent un maximum de six enfants au domicile d'une « gardienne » (appellation locale pour les nounous), qui a reçu une formation de base. Le coût par enfant varie du tarif minimum, lorsque la garderie est agréée par un CPE, à 60 $ par jour pour les plus dispendieuses. Le volet éducatif de ces garderies est inégal et les meilleures en font d'ailleurs un argument commercial afin de justifier leur tarif élevé. Il est conseillé de bien se renseigner sur le nombre d'enfants accueillis ainsi que sur la qualification des personnes qui en auront la charge. N'hésitez pas à interroger les autres parents et à visiter les lieux.

Infos pratiques

▶ **Ministère de la Famille**
www.mfa.gouv.qc.ca
(rubrique « Services de garde »)

▶ **Centres de la petite enfance du Québec**
www.aqcpe.com

> **Association des garderies privées du Québec**
www.agpq.ca

> **Enfance famille**
www.enfancefamille.org

> **Regroupement des centres de la petite enfance de Laval**
www.monenfant.ca

> **Ma Garderie**
www.magarderie.com

> **Association des haltes-garderies communautaires du Québec**
www.ahgcq.org

▶ Nounous à domicile

En règle générale, le salaire hebdomadaire d'une « gardienne » s'établit entre 250 $ et 450 $ à temps complet. Plusieurs éléments, dont le nombre d'enfants à s'occuper, peuvent faire grimper les prix. Les frais sont déductibles des impôts jusqu'à 9 000 $ par an (pour ceux acquittés au Québec) et 8 000 $ (pour ceux versés au Canada), et ce, pour chaque enfant âgé de moins de 6 ans. Lorsque la nounou se déplace à domicile, elle est en général considérée comme une salariée, avec les charges sociales afférentes mais déductibles des impôts.

▶ Haltes-garderies et jardins d'enfants

Le plus souvent, les gardes temporaires sont gérées par des organismes communautaires et proposent des programmes ou des ateliers éducatifs. Le jardin d'enfants s'adresse aux deux-cinq ans par groupe d'au moins sept pour quatre heures au plus. Les haltes-garderies acceptent vos bambins de leur naissance jusqu'à l'âge de 12 ans pour au maximum 24 heures consécutives.

▶ Garde en milieu scolaire

Les horaires de la maternelle et du primaire ne coïncident que rarement avec ceux des parents qui travaillent. La plupart des établissements proposent des gardes en milieu scolaire avant le début des cours le matin, à l'heure du repas et après la classe. Ces services sont subventionnés et leurs coûts s'élèvent à 8 $ par jour, (tarif indexé chaque année sur le coût de la vie). D'autres frais peuvent s'ajouter comme la demi-pension ou les animations spéciales (ateliers, activités sportives).

Quelle déduction fiscale ?

Les frais des garderies au tarif minimum (CPE, garderies subventionnées) ne sont pas déductibles. Mais si votre enfant fréquente une garderie privée non subventionnée, il existe un « crédit d'impôt pour frais de garde d'enfants » établi en fonction du revenu familial. Pour un revenu familial de 100 000 $ et un coût quotidien de 35 $, les impôts québécois vous rembourseront ainsi 20 $ par jour. S'ajoutent à cela les aides familiales du gouvernement du Canada, accessibles à tous. Sous certaines conditions, vous pouvez recevoir ce crédit d'impôt du Québec tous les mois de façon anticipée.

> **Revenu Québec** www.revenuquebec.ca
(saisir « Frais de garde » dans le champ de recherche)
> **Finances et économie Québec** www.budget.finances.gouv.qc.ca/Budget/
outils/garde_francais.html (pour calculer le coût de la garderie en fonction
du mode de garde et du revenu)

Les loisirs pour les petits (et les plus grands)

À partir de 4 ans

▶ Archéologie et histoire

Classé site archéologique et historique national, le musée Pointe-à-Callière couvre plusieurs siècles, de la période amérindienne à nos jours. Il abrite des vestiges architecturaux remarquables, mis en valeur in situ. Le musée propose en outre aux enfants des activités extrêmement amusantes alliant découverte, créativité et jeux de rôle sur le thème de l'archéologie.

À partir de 4 ans

Centre des sciences de Montréal

Avec les collections permanentes, on explore la technologie et la science par le biais d'un ensemble d'activités interactives. Des expositions temporaires axées vers le grand public complètent cette découverte aussi ludique qu'instructive des différents domaines scientifiques. Le centre abrite dans ses murs une salle de cinéma équipée d'un écran Imax.

> **Centre des sciences de Montréal** 2, rue de la Commune-Ouest
☎ 514 496 4724 ou ☎ 1 877 496 4724 www.centredessciencesdemontreal.com

> Pointe-à-Callière
350, place Royale
☎ 514 872 9150
www.pacmusee.qc.ca

Pour tous

▶ Atrium le 1000

C'est la patinoire la plus chaude en hiver, et la plus fraîche en été… Lorsque la météo est capricieuse, pluie ou forte chaleur estivale, tempête de neige ou grands froids hivernaux, on peut toujours patiner à l'Atrium le 1000. Situé au bas de la tour la plus haute de la ville, c'est un endroit unique à Montréal. Sa patinoire de 930 m^2 (10 000 pi^2), grâce sa superbe coupole vitrée qui laisse passer les rayons du soleil, est toute l'année à la température idéale: 18 °C.

> L'Atrium le 1000
1000, rue de la Gauchetière-Ouest
☎ 514 395 0555
www.le1000.com/en/atrium

Pour les plus petits

▶ Premier âge

Fondée par des animatrices spécialisées, l'Association montréalaise pour le développement des loisirs des tout-petits favorise le développement de l'enfant par le jeu. Animations thématiques, ateliers enfantins, activités d'éveil pour les parents et les enfants ainsi que des forma-tions pratiques et ludiques sont proposés.

> AMDL tout-petits
centre Gabrielle-et-Marcel-Lapalme
5350, rue Lafond
☎ 514 524 5720
www.amdltoutpetits.org

Pour tous

▶ La Ronde

Voici l'un des plus vastes parcs d'attractions d'Amérique du Nord. Ouverte de mi-mai à fin octobre, La Ronde, sur l'île Sainte-Hélène, procure amusement et sensations fortes à tous. Les impressionnantes montagnes russes s'adressent aux amateurs de frisson, mais les plus jeunes ne sont pas oubliés avec des manèges intermédiaires et le Pays de Ribambelle pour les plus petits. L'entrée du parc est assez chère, mais des forfaits sont proposés à des prix intéressants en début de saison.

> La Ronde
22, chemin Macdonald
☎ 514 397 2000
www.laronde.com

Pour tous

Le Zoo Ecomuseum

Lieu de promenade familiale, le Zoo Ecomuseum offre une expérience unique basée sur l'observation et l'interprétation de la nature. Tout au long du parcours à ciel ouvert rythmé par des panneaux explicatifs, on observe plus d'une centaine d'animaux dont la particularité est qu'ils vivent tous au Québec. Plus de 25 programmes éducatifs sont proposés par des zoologistes.

> Zoo Ecomuseum
21125, chemin Sainte-Marie,
Sainte-Anne-de-Bellevue
☎ 514 457 9449
www.ecomuseum.ca

À partir de 2 ans

Le Biodôme

À la fois zoo, aquarium, jardin botanique et centre d'interprétation, le Biodôme est un musée unique au monde où cinq écosystèmes des Amériques ont été recréés: forêt tropicale humide, érablière des Laurentides, golfe du Saint-Laurent, côtes du Labrador, îles subantarctiques. Chaque été, son « camp de jour » (centre aéré) pour les 7-12 ans est très populaire.

> Biodôme
4777, avenue Pierre-de-Coubertin
☎ **514 868 3000**
www.ville.montreal.qc.ca/biodome

Pour tous

▶ Centres de loisirs pour les petits

Piscines à boules, labyrinthes, minigolf, toiles d'araignée géantes et manèges divers amuseront vos enfants

en intérieur. Utile lorsque les journées d'hiver se font longues et que l'on n'a pas envie d'affronter les intempéries en famille.

> Funtropolis
3925, boulevard Curé-Labelle, Laval
☎ **450 688 9222**
www.funtropolis.ca

> Jungle Aventure
1545, boulevard Le-Corbusier, Laval
☎ **450 681 2144**
www.jungleaventure.com

> Fun O Max
Centre sportif Marie-Victorin
7000, rue Marie-Victorin, Montréal
514 325 0150, poste 2045
www.funomax.ca

> Fundomondo
245, boulevard Saint-Jean,
Pointe-Claire ☎ **514 697 5678**
www.fundomondo.com

Pour tous

▶ L'Aquadôme

Cette vaste piscine couverte propose des cours de natation ainsi que des plages horaires réservées à la nage libre. Les tout-petits y trouveront un périmètre protégé comprenant une fontaine en forme de champignon, une grande pataugeoire ainsi que quatre petites glissades. Pendant que les enfants s'amusent sous la surveillance des maîtres nageurs, les parents peuvent se détendre dans le grand bain.

> Aquadôme
1411, rue Lapierre
☎ **514 367 6460**
www.aquadome-lasalle.com

À partir de 4 ans

▶ Les ateliers de création du Mac

Une manière ludique de faire découvrir l'art moderne à votre enfant. Lors des ateliers de création du musée d'Art contemporain de Montréal, les petits donnent libre cours à leur imagination, en réalisant leurs propres créations inspirées par une ou plusieurs œuvres exposées dans le musée.

> Musée d'Art contemporain de Montréal
185, rue Sainte-Catherine-Ouest
☎ 514 847 6226 www.macm.org

7 ans et plus

▶ Le Cosmodôme

Le Cosmodôme s'adresse aux curieux et aux passionnés de l'exploration spatiale. La visite d'environ une heure permet d'en savoir plus sur l'Espace et la carrière d'astronaute. Elle peut être complétée par une mission virtuelle, un parcours multimédia qui n'est ni un simulateur de vol, ni un manège… et ne nécessite donc pas une forme physique particulière.

> Cosmodôme
2150, autoroute des Laurentides, Laval
☎ 450 978 3600 ou 1 800 565 2267
www.cosmodome.org

Dès 1 an

▶ La Maison Théâtre

La Maison Théâtre organise, saison après saison, des spectacles qui s'adressent aux enfants d'un an ou aux adolescents. Le tout-petit s'ouvre à l'imaginaire et se laisse émerveiller ; l'ado, déjà connaisseur, recherche quant à lui les nuances et veut être saisi par une multitude d'émotions. Il y est également possible de participer à des ateliers parents-enfants et de rencontrer les comédiens.

> Maison Théâtre
245, rue Ontario-Est
☎ 514 288 7211
www.maisontheatre.com

À partir de 4 ans

▶ Le SkyVenture

Un simulateur de chute libre accessible dès quatre ans. L'expérience s'adresse aussi bien aux débutants qu'aux parachutistes qui voudraient s'entraîner. Le forfait d'initiation inclut une courte formation.

> SkyVenture
Centropolis,
2700, avenue du Cosmodôme, Laval
☎ 514 524 4000
www.skyventuremontreal.com

▶ Pour sortir en famille

www.yoopa.ca
www.sorties-en-famille.ca
www.montrealpourenfants.com

La scolarité

▶ 180 jours de classe

Au Québec, le système d'éducation est laïc. Il est gratuit pour tous les résidents de la province, de la maternelle au niveau collégial (jusqu'à l'université). Parallèlement, il existe un réseau d'établissements privés payants. L'école est obligatoire pour les 6-16 ans. L'année scolaire débute fin août et se termine habituellement avant le 24 juin, date de la fête nationale du Québec. Les enfants ont deux semaines de vacances à Noël et une autre début mars, appelée la semaine de relâche. Tout au long de l'année, les élèves bénéficient de congés pour certaines fêtes nationales ou religieuses et lors des journées pédagogiques (une ou deux par mois). L'année scolaire dure au moins 180 jours (144 en 2012 en France). Dans le public, les établissements sont administrés par des commissions scolaires (trois commissions francophones sur l'île de Montréal).

▶ Le français obligatoire

À Montréal, les cours sont donnés en français ou en anglais, selon la langue d'enseignement en usage dans chaque établissement. Pour autant, les enfants d'immigrants, quelle que soit la langue de leurs parents, doivent normalement fréquenter l'école francophone jusqu'à la fin de leurs études secondaires. C'est une des conséquences de la fameuse loi 101, adoptée en 1977. Seuls les anglophones canadiens sont autorisés à fréquenter les établissements où l'on enseigne en anglais. Pas question, donc, lorsque l'on est français, d'imaginer scolariser ses rejetons dans une école où les cours sont dispensés dans la langue de Shakespeare… à moins de les inscrire dans des établissements privés non subventionnés, ce qui a un coût : de 8 000 à 15 000 $ (parfois plus) par an. En revanche, à la fin du primaire, certaines écoles francophones proposent un bain linguistique avec cinq mois d'enseignement en anglais.

▶ Un rythme différent

Les enfants ont classe du lundi au vendredi sans interruption entre cinq et six heures par jour. En primaire, les cours commencent entre 8 h et 8 h 30 et se terminent vers 15 h avec une pause d'environ une heure le midi. Dans le secondaire, les horaires sont sensiblement les mêmes. Les petits Québécois ont moins de vacances que les Français, mais leurs journées sont plus courtes. Ce qu'apprécient les parents expatriés découvrant des horaires mieux adaptés au rythme biologique des enfants… ainsi qu'à leur journée de travail.

▶ La pédagogie

Le cours magistral où l'élève écoute religieusement l'enseignant n'est pas la règle au Québec. Les professeurs dispensent à tous les niveaux des cours moins formels que dans l'Hexagone. Les relations ne sont pas autant hiérarchisées, les rapports entre l'élève et le maître sont plus simples. Les enseignants misent sur l'accompagnement pédagogique. Travail de groupe et expression orale sont mis en avant. Les petits Français se font vite au système d'éducation québécois, qui joue plus la carte de la récompense que de la sanction.

▶ Les notes

La notation des écoliers se fait sur 100. On détermine une évaluation en pourcentage par matière. Les enseignants, pour établir les trois bulletins annuels, tiennent compte des résultats obtenus aux examens et évaluations, mais aussi des efforts et des progrès de l'élève. Le pourcentage requis pour passer au niveau supérieur est de 60%. Au primaire, une note inférieure à ces 60% déclenchera une intervention de la part de l'établissement auprès des parents, pour déterminer si l'enfant nécessite un encadrement supplémentaire, des services particuliers ou s'il est souhaitable qu'il redouble. Les élèves du secondaire qui échoueront à un cours nécessaire à l'obtention du diplôme d'études secondaires devront obligatoirement le reprendre.

▶ Des parents qui s'impliquent

Au Québec, les parents sont fortement encouragés à participer à l'éducation de leur enfant. Ils peuvent s'impliquer dans les conseils d'établissement, les assemblées annuelles, assister voire organiser les nombreuses activités extrascolaires (spectacles, fêtes, expositions, remises des diplômes…), donner leur avis lors de consultations et autres sondages.

▶ Public ou privé ?

À Montréal, de plus en plus de familles (30% au total) et, parmi elles, de nombreux immigrants, choisissent d'inscrire leurs enfants dans une école privée, notamment dans le secondaire. Comme en France, certains établissements publics souffrent d'une image négative. Pourtant, depuis quelques années, les commissions scolaires de l'île de Montréal accomplissent des efforts importants afin d'attirer les élèves et proposent divers programmes

Les établissements français

Ces écoles relèvent du gouvernement français et enseignent le programme obligatoire de la République. Elles sont payantes (de 3500 à 6500 $ à Stanislas, entre 3600 et 6900 $ à Marie-de-France), mais on peut, en cas de difficultés financières, bénéficier d'une bourse dont la demande s'effectue au consulat général de France. L'admission s'effectue sans examen pour tout élève issu du système scolaire français. En revanche, mieux vaut inscrire son enfant le plus tôt possible, par exemple dès l'obtention de son CSQ (certificat de sélection du Québec) pour espérer obtenir une place, car la demande est plus forte que l'offre.

particuliers (avec ou sans sélection) qui remportent un vif succès: éducation internationale, sport-études, art dramatique, musique, etc.

▶ Enseignement privé

Avec les écoles privées, les parents recherchent souvent un encadrement strict, une surveillance renforcée en dehors des cours, des professeurs disponibles… Pour être admis dans ces établissements, les élèves doivent souvent passer un examen d'entrée qui se déroule au début de la dernière année de primaire. La majorité des écoles privées sont subventionnées à hauteur de 60% des coûts, et les frais annuels de scolarité oscillent entre 3000 et 3500 $ par enfant.

▶ Portes ouvertes

Tous les établissements publics ou privés organisent des journées portes ouvertes. C'est l'occasion de prendre le pouls et d'obtenir des renseignements sur la pédagogie propre à l'école et de voir les locaux (parfois vétustes). Vous y rencontrerez aussi d'autres parents dont certains seront probablement vos futurs voisins. N'hésitez pas à engager la conversation, ici comme en France le bouche à oreille fonctionne à merveille.

▶ La maternelle et l'école primaire

Parties intégrantes du cycle de la primaire au Québec, les maternelles sont ouvertes aux petits dès cinq ans, même si certaines les acceptent, à mi-temps, à partir de quatre ans. 98% des enfants qui sont en âge de fréquenter la maternelle y sont inscrits. Mais à partir de 6 ans, tous doivent entrer en première année de primaire, qu'ils aient ou non été en maternelle. L'enseignement primaire dure six années divisées en trois cycles de formation

Le territoire de l'école

Au Québec, on ne parle pas de carte scolaire mais de « bassin » scolaire. Les enfants du primaire et du secondaire doivent être inscrits dans leur école de bassin. Dans le système public, l'élève va donc dans l'école dépendant de sa commission scolaire et la plus proche de son domicile. Il est toutefois possible d'obtenir une dérogation pour fréquenter un autre établissement, à condition qu'il y ait des places. Vous ne serez alors plus admissible au système de transport gratuit, les fameux bus jaunes qui emmènent et ramènent les enfants de l'école.

de deux années chacun. Les classes sont nommées différemment qu'en France : première année, deuxième année… jusqu'à la sixième et dernière année de primaire. Ainsi, la première année correspond au CP français et la cinquième, au CM2. L'école primaire compte une classe de plus au Québec.

▶ Le secondaire

Arrivés pour la plupart à l'âge de 12 ans au secondaire, les enfants poursuivent leur scolarité pendant cinq années. Le premier cycle, qui dure deux années, est une formation commune à tous les élèves. Le second cycle, en revanche, comporte trois parcours : général ; général appliqué et préparatoire à l'entrée dans le monde du travail et à l'exercice d'un métier. Ce sont donc au total 11 années scolaires que la plupart des jeunes Québécois effectuent avant de commencer leurs études supérieures à l'âge de 17 ans. La

fin des études secondaires est sanctionnée par le diplôme d'études secondaires (DES).

▶ Études supérieures collégiales

Au Québec, l'enseignement dit collégial se situe entre le secondaire et l'universitaire. Contrairement au reste du Canada où les jeunes intègrent la faculté à la fin de leur cursus du secondaire, les élèves québécois intègrent un collège d'enseignement général et professionnel (Cegep). Deux types d'orientation sont alors proposés : la préparation en deux ans à l'université ou un programme d'études techniques d'une durée de trois ans, plus orienté vers l'entrée dans la vie active sans toutefois se couper d'une possible poursuite des études. La fin des années de Cegep est sanctionnée par l'obtention d'un diplôme d'études collégiales (DEC) général ou technique. En vertu d'une entente, le Québec recon-

Infos pratiques

▶ **Écoles françaises**

• Collège international Marie-de-France
4635, chemin Queen-Mary
www.cimf.ca

• Stanislas
780, boulevard Dollard
www.stanislas.qc.ca

▶ **Système d'éducation**

• Ministère de l'Éducation, du loisir et du sport
www.mels.gouv.qc.ca

▶ **Participation parentale**

• Fédération des comités de parents du Québec
www.fcpq.qc.ca

▶ **Information sur les établissements de Montréal**

• Commission scolaire de Montréal
www.csdm.qc.ca

• Commission scolaire Marguerite-Bourgeoys
www.csmb.qc.ca

• Commission scolaire de la Pointe-de-l'Île
www.cspi.qc.ca

▶ **Fédération des Cegeps**
www.fedecegeps.qc.ca

▶ **Le classement des écoles du secondaire**
www.compareschoolrankings.org

naît l'équivalence entre le baccalauréat français et le diplôme d'études collégiales québécois.

Vocabulaire express de l'écolier québécois

• Au Québec, les élèves n'ont pas de cartables mais des « classeurs ». Ils rangent l'« aiguisoir », le taille-crayon, et l'« efface », la gomme (le terme de « gomme » désigne le chewing-gum), dans l'« étui à crayons », la trousse.

• L'équivalent français du cartable est le « sac à dos », que tous les élèves utilisent. Dedans, on trouve des « Duo-tang », des chemises, des « agendas », des cahiers de texte, ainsi que des cahiers Canada, aux feuilles quadrillées ou pas.

• Rares sont les enfants qui vont à la cantine. La plupart apportent à l'école leur « boîte à lunch ».

VOUS ÊTES À MONTRÉAL
BÉNÉFICIANT D'UN PERMIS DE TRAVAIL OU D'ÉTUDES**

Saviez-vous que vos enfants (5 ans / 17 ans) ont accès à une **éducation GRATUITE en ANGLAIS** dans nos écoles publiques ?

VOUS ÊTES CITOYEN FRANÇAIS ET ÉLÈVE DE NIVEAU SECONDAIRE
(DE 12 À 17 ANS) ET VOUS SOUHAITEZ AMÉLIORER VOTRE NIVEAU D'ANGLAIS

Saviez-vous que vous avez accès à un **cursus GRATUIT en ANGLAIS** dans nos écoles publiques ?

La Commission Scolaire English Montréal (CSEM)

▶ Située sur l'île de Montréal.
▶ La plus grande commission scolaire anglophone du Québec, plus de 20 000 élèves.
▶ Nos programmes sont variés et incluent des cours en anglais, en français, baccalauréat international, sciences, et des programmes spécialisés comme musique, art, et sport études.
▶ Le taux de réussite pour l'obtention du diplôme est de 88%, le plus élevé au Québec.

** Veuillez noter que vous avez accès à nos programmes en langue anglaise seulement si vous êtes en séjour temporaire au Québec. Si vous changez votre statut pour résident permanent, vous perdez votre droit à l'admissibilité à l'enseignement en anglais.

VENEZ APPRENDRE OU PERFECTIONNER L'ANGLAIS
PAR IMMERSION DANS NOS ÉCOLES PUBLIQUES !

 ENGLISH MONTREAL SCHOOL BOARD
INTERNATIONAL STUDENTS

Pour plus d'informations :

www.emsb.qc.ca/internationalstudents *ou* **study@emsb.qc.ca**

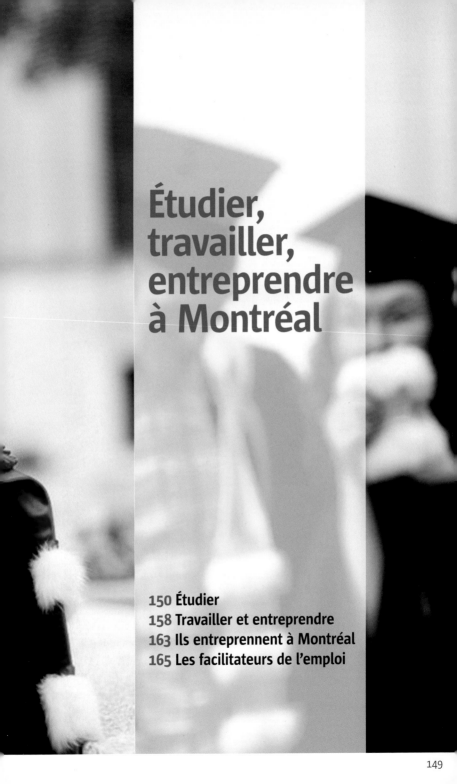

Étudier, travailler, entreprendre à Montréal

Étudier à Montréal

Chaque année, 10 000 Français s'inscrivent dans les universités québécoises

▶ **Le rêve
nord-américain**

Suivre des études outre-Atlantique devient le rêve de beaucoup de Français, qui sont de plus en plus nombreux à choisir le Québec et Montréal. Cela leur permet d'étudier dans un environnement nord-américain tout en profitant du confort d'une société francophone, mais aussi de payer des droits de scolarité bien moins élevés qu'aux États-Unis ou dans les autres provinces canadiennes. Une fois diplômés d'une université montréalaise, il leur sera plus facile de s'installer au Canada et d'y trouver un travail. Le Canada est un État à la recherche d'une main-d'œuvre qualifiée et le taux de chômage y est relativement bas comparé à la moyenne des pays européens. Et lorsque les étudiants, après avoir achevé leur cursus, préfèrent rentrer en France, cette expérience à l'étranger ne peut qu'être appréciée d'un futur employeur... surtout s'ils en ont profité pour perfectionner leur anglais.

▶ **10 000 étudiants
français par an**

L'attraction exercée par les universités québécoises sur les Français va croissant. Chaque année, les universités québécoises accueillent près de 10 000 étudiants venus de l'Hexagone. La plus populaire, l'Université de Montréal, en compte 4 000 à elle seule. Depuis 2006, le nombre d'étudiants français dans les universités québécoises a augmenté de 90 %. Ils forment 37 % du groupe des étudiants étrangers.

▶ Un système 100 % universitaire

Montréal compte quatre universités : deux francophones (l'Université du Québec à Montréal dite l'Uqam, et l'Université de Montréal) et deux anglophones (McGill et Concordia). Ici, le système des grandes écoles n'existe pas. La plupart des formations sont dispensées au sein même des universités et parfois dans des établissements affiliés, comme HEC Montréal ou Polytechnique, pour l'Université de Montréal.

▶ S'inscrire de France

Il est possible de s'inscrire depuis la France, par correspondance. Votre dossier de candidature sera étudié et accepté ou non selon votre diplôme mais aussi souvent vos notes et le nombre de places disponibles quand les filières sont contingentées. Deux possibilités s'offrent à vous : participer à un échange interuniversitaire ou vous inscrire directement dans une université.

▶ Programmes d'échanges

Les établissements du Québec ont mis en place des programmes d'échanges d'étudiants avec certains de leurs homologues à l'extérieur du Canada. Il suffit de se renseigner auprès de son école supérieure (commerce, Ingénierie…) ou de sa faculté. Les échanges durent un ou deux semestres au maximum. Les Français sont dispensés de frais d'inscription puisqu'ils dépendent du régime de l'école ou de l'université de leur pays.
www.crepuq.qc.ca

▶ Postuler directement auprès de la fac

Vous devez envoyer un dossier à chaque université pour laquelle vous postulez. Si votre budget vous le permet, déposez des demandes dans plusieurs établissements afin d'avoir plus de chances d'être accepté. Pour intégrer la session d'automne (recommandée pour les nouveaux étudiants), les dates limites de réception de dossier sont comprises entre les 1er janvier et 1er mars selon les universités ; prenez-vous-y donc dès novembre. Les critères diffèrent en fonction des établissements pour entrer en première année, mais une mention au bac ou une moyenne minimale dans certaines matières sont souvent demandées. Les frais de dossier pour l'inscription sont d'environ 100 $. Dans les facultés anglophones, un test d'anglais peut-être exigé. À la fin de la période d'études, le cursus sera sanctionné par un diplôme québécois.

▶ Les formalités administratives

Vous êtes admis dans une université ? Si vous comptez étudier au moins six mois, il vous faudra demander un certificat d'acceptation du Québec (Caq). Ce document donne droit à une couverture sociale et permet de travailler à temps partiel sur les campus (les frais de

> *Étudier à Montréal m'a donné la chance de poursuivre mes études dans un cursus trilingue : français, anglais, espagnol. Sur 15 heures de cours hebdomadaires, seulement cinq sont dispensées en français*
>
> Lætitia, administration des affaires, à HEC Montréal.

dossier sont de 104 $ et le délai d'obtention est d'environ trois semaines). Vous devrez ensuite vous procurer un permis d'études auprès du bureau canadien des visas (il vous en coûtera 150 $ et vous devrez attendre environ quatre semaines avant de l'obtenir).

▶ Des universités autonomes

Les universités québécoises possèdent une grande autonomie dans l'organisation des études ainsi que dans leurs programmes d'enseignement et de recherche. Elles déterminent elles-mêmes leurs exigences pour l'admission et l'inscription des étudiants et elles délivrent leurs propres diplômes. Trois cycles d'études sont proposés. Le premier est sanctionné par un baccalauréat (soit l'équivalent de la licence en France) au bout de trois ans ; les deux années du deuxième cycle, par une maîtrise ; le troisième cycle, par un doctorat avec soutenance de thèse (en général au moins trois ans de plus).

La vie étudiante

La plupart des étudiants qui sont passés par les universités de Montréal vous le diront : la vie estudiantine y est très agréable. Facilité de trouver un logement, de s'intégrer et de se faire des amis, enseignants accessibles… Le rythme de travail en revanche est soutenu et surprend parfois. Ici, on ne se la coule pas douce et le travail en groupe est également plus développé qu'en France. Pour la vie nocturne et festive, les jeunes expatriés se retrouvent souvent entre eux, car la majorité des étudiants québécois doivent travailler en général le soir et les week-ends (et certains à plein-temps) pour financer leurs études.

▶ Une année étalée sur dix mois

L'année universitaire comprend trois sessions. Celle d'automne débute fin août, début septembre et se termine à la mi-décembre. La session d'hiver commence début janvier et s'achève fin avril. Celle d'été débute en mai et se termine fin juin (cursus intensif) ou à la mi-août (cursus régulier). L'offre de cours est réduite pendant les mois d'été. La plupart des étudiants n'effectuent que les deux premières sessions dans leur année universitaire, qui s'étale donc le plus souvent de septembre à mai. Les étudiants qui en ont besoin peuvent ainsi travailler en juillet et en août afin de payer leurs études.

▶ Des cours mesurés en crédits

Dans le système québécois, les heures de cours sont mesurées en crédits.

Un enseignement dans une matière correspond en général à trois crédits, soit à 45 heures d'activités d'apprentissage (cours, travaux pratiques, travail en laboratoire, stage, évaluation, etc.) étalées sur 15 semaines. Le nombre de crédits nécessaires pour obtenir le baccalauréat est généralement de 90 à 120.

Puis il faut compter de 45 à 60 crédits supplémentaires pour la maîtrise et encore 90 pour décrocher son doctorat.

▶ Combien coûtent les études ?

Il est avantageux d'étudier au Québec, car les frais de scolarité sont très bas par rapport à ceux des autres

provinces canadiennes et a fortiori des États-Unis. S'ajoutent pourtant à ces coûts de base diverses dépenses obligatoires. Il y a déjà ce que les Québécois appellent les frais afférents. Ils sont fixés par chaque université et rassemblent diverses dépenses (de gestion, de bibliothèque, etc.). Ils oscillent en général entre 700 et 1 000 $ pour une année. Il faut encore bourse délier pour les livres, le logement, la nourriture, le transport, les communications, le sport, les sorties… Le budget annuel d'un étudiant à Montréal grimpe vite à 14 000 $.

▶ Obtenir des aides financières

À partir du second cycle universitaire, il est possible d'obtenir des subventions, bourses ou contrats de recherche. Ces aides s'adressent parfois uniquement aux étudiants résidents permanents ou canadiens, d'autres sont ouvertes ou destinées aux seuls étrangers. Elles peuvent constituer un simple coup de pouce (de 500 à 1 500 $) ou varier de 15 000 à plus de 20 000 $ par an pour les plus importantes. Il n'existe pas vraiment d'organisme répertoriant toutes les bourses existantes. Certaines sont offertes par des ministères comme celui des Relations internationales et de la francophonie, d'autres par des organismes tels que l'Agence universitaire de la francophonie (AUF) ou dans le cadre d'accords entre la France

et le Québec. Sans oublier les multiples aides financières du secteur privé. Soyez donc à l'affût sur le site Internet de votre université (rubrique « Service à la vie étudiante » ou similaire) et renseignez-vous dans les bureaux réservés aux étudiants étrangers.

▶ Avantage aux Français

Le récent mouvement étudiant du Printemps érable 2012 atteste de la volonté farouche des jeunes Québécois de conserver un faible coût à l'éducation. Les droits de scolarité des universités montréalaises se sont élevés en 2014 en moyenne à 2 300 $ par année (deux cessions). Les étudiants français profitaient jusqu'alors d'une exemption partielle de ces droits de scolarité, ce qui les mettait au même niveau que les étudiants Québécois. Depuis 2015, ils doivent

> *Ici, il est facile de conjuguer études et sport. Nous avons moins d'heures de cours qu'en France et plus de flexibilité dans le choix des enseignements, c'est un programme mieux adapté à mes entraînements.*

Roxane, étudiante en relations internationales à l'Uqam.

payer les mêmes frais de scolarité que les étudiants des autres provinces canadiennes soit environ 6 550 $, mais toujours moins que les autres étudiants étrangers qui doivent eux débourser entre 13 et 15 000 $.

▶ Trouver un job

Les étudiants étrangers sont autorisés à travailler au Québec. Outre les petits boulots au sein même de l'université (missions de terrain, consultations,

Élèves et professeurs notés

> *Les notes comptent beaucoup tout au long des études, et un diplôme réussi avec des notes moyennes perd de sa valeur. En France, les profs ont tendance à écraser les étudiants. Ici, les bons élèves, on les félicite ; les moins bons, on les aide »,* raconte Amélie, 22 ans, qui termine sa maîtrise en finances. Au terme de chaque session, les étudiants évaluent également la formation reçue. Objectifs, contenu, pédagogie, travail demandé sont disséqués par les élèves de façon anonyme et confidentielle et seuls le professeur et le responsable du programme y ont généralement accès. « *Une pratique positive et normale, selon Yves-Marie, enseignant à HEC Montréal, et qui a une réelle incidence sur la qualité de notre pratique. On est censé donner du temps aux étudiants, ce qui nous rend peut-être plus sympathiques que certains profs en France.* »

assistanat de professeur, animation d'ateliers, surveillance des examens…) qui permettent de gagner un peu d'argent et mieux se fondre dans la société, il est possible, depuis juin 2014, après un minimum de six mois passés dans le pays, d'avoir une activité professionnelle à l'extérieur du campus, mais seulement à temps partiel (20 heures par

" *Ce que j'ai vécu à l'Uqam a dépassé tout ce que j'avais imaginé. Contrairement aux facultés françaises où l'accent est mis sur la théorie, la pratique joue ici un rôle essentiel. On apprend sur le tas, les cours viennent en appui des expériences conduites en labo… et non l'inverse !* "

Mathilde, étudiante en biologie à l'Uqam.

semaine au maximum) et sous certaines conditions. Vous aurez alors impérativement besoin d'un numéro d'assurance sociale (NAS). Les Français dégotent facilement des emplois dans les services (restauration, vente en boutique…). Ces premières expériences de travail en Amérique du Nord constitueront un plus à faire figurer dans le CV de ceux qui voudront rester au Québec après leurs études.

▶ **Se loger**

Les quatre universités montréalaises possèdent un parc de logements à coût réduit pour leurs étudiants, mais il faut s'y prendre tôt pour obtenir une place. En fonction de la taille, du confort et de la localisation, les prix s'échelonnent de 375 à plus de 1 000 $ par mois. Une des premières choses à faire en arrivant est donc de se rendre au bureau d'accueil des étudiants, qui rassemble les

offres de location. Des services spéciaux sont souvent mis à la disposition des nouveaux arrivants. Beaucoup d'étudiants choisissent la colocation, en général moins onéreuse (autour de 500 $). On peut consulter les offres de colocation sur les tableaux d'affichage des facs, mais aussi sur Internet et dans les journaux.

Infos pratiques

S'INFORMER

▶ Le Caq
www.immigration.quebec .fr (rubrique « Pour en savoir plus », « Immigrer et s'installer au Québec » puis « Étudiants étrangers »)

▶ Obtenir le permis d'études et travailler
www.cic.gc.ca/francais (rubrique « Étudier » puis « Obtenir un permis d'études » et « travailler pendant ses études »)

▶ Obtenir un permis de travail
www.cic.gc.ca/francais (rubrique « Étudier » puis « Obtenir un permis de travail pour étudiant »)

▶ Tout savoir sur les journées Étudier au Québec
www.etudierauquebec.fr
www.etudierauquebec.tv

▶ Le service Accueil Plus de l'aéroport Montréal-Trudeau
www.accueilplus.ca

S'INSCRIRE

▶ À Québec
www.universitesquebecoises.ca

▶ À Montréal
www.concordia.ca
www.uqam.ca
www.umontreal.ca
www.mcgill.ca

DEMANDER UNE BOURSE
www.bourses.gc.ca
www.ofqj.org

**École internationale
de langues YMCA**

Montréal, Canada

Apprenez l'anglais
à Montréal !

AVEC DES ÉTUDIANTS DU MONDE ENTIE

" J'ai profité de mon séjour à Montréal pour parfaire mon niveau d'anglais. C'était au départ pour le plaisir et rencontrer des gens, mais je me suis rapidement rendu compte que suivre des cours d'anglais au centre-ville de Montréal m'a permis de progresser et a ainsi facilité ma recherche d'emploi." Sophie, 24 ans

ours de jour et / ou u soir, cours écialisés :

Anglais des affaires vocabulaire des affaires);
English at work (CV en anglais, entretien d'embauche,...);
Ateliers de conversation;
Grammaire, conversation et prononciation;
Anglais écrit
Préparation au TOEFL (en vue d'intégrer des niversités anglophones);
Préparation au IELTS.

Pourquoi le YMCA?

- École fondée en 1965;
- Association à but non lucratif;
- 4800 étudiants par année (dont 30% de l'international);
- Professeurs diplômés et d'expérience;
- Situé en plein centreville/ quartier des affaires – accès direct du métro Peel.

- Autres langues enseignées:
  espagnol, italien, portugais, mandarin, allemand, japonais et arabe.
- Camp linguistique en anglais pour les 9-17 ans chaque été.

Accès gratuit au centre sportif (pour certains programmes).

Nouveaux programmes!
Gap Year et Pathway Program

info@ymcalangues.ca | ymcalangues.ca
+1 514 849-8393, poste 1400

Plein de vies

Travailler et entreprendre

▶ Une très forte présence française

La France (avec 70 % des sièges sociaux des filiales implantées au Canada) est le deuxième investisseur étranger au Québec (le 5ᵉ au Canada), devancée par les États-Unis mais devant le Royaume-Uni. Environ 400 filiales de sociétés hexagonales sont installés au Québec et y génèrent quelque 30 000 emplois. Plus de la moitié de ces implantations sont dans la métropole. Si la plupart des grands groupes sont arrivés ici il y a longtemps (certains depuis plus d'un siècle, comme Air Liquide), les PME innovantes sont de plus en plus nombreuses à tenter l'aventure. Elles ont trouvé au Québec un territoire qui leur offre un accès privilégié au marché nord-américain. La langue,

la qualité de la vie et la facilité des démarches à mener pour fonder une société sont autant d'atouts qui attirent les futurs entrepreneurs.

▶ Un marché de l'emploi en demande

Selon les prévisions d'Emploi Québec, près de 1,4 million d'emplois seront à pourvoir au Québec d'ici à 2021 (1,1 million de personnes remplaceront les départs à la retraite et 316 000 occuperont de nouveaux postes). Toujours selon ces estimations, le taux de chômage sera de l'ordre de 5,7 % en 2020, près de ce que les spécialistes appellent le plein-emploi. Certains secteurs seront plus demandeurs que d'autres, aussi la question de la formation sera donc incontournable. De quoi donner aux

Français, jeunes ou moins jeunes, l'envie de tenter leur chance en terre montréalaise.

▶ Les métiers qui ont la cote

Près de 80 professions sont en demande de salariés à Montréal selon Emploi Québec. Il serait vain de les énumérer ici, mais sachez que vous avez la possibilité d'en consulter la liste sur le site d'Emploi Québec à la rubrique « Information sur le marché du travail » ; vous pouvez également vous tenir informé grâce aux publications de Conseil emploi métropole (Cem). Parmi les secteurs en déficit de main-d'œuvre, on trouve l'informatique, la restauration, l'aérospatiale, l'enseignement et le milieu social. Le Québec recherche des cadres ou des techniciens spécialisés. En arrivant, beaucoup d'étrangers se voient pourtant seulement proposer des jobs de base, mais qui leur permettront de se faire une première expérience indispensable à une progression future.

▶ Les vocations sont encouragées

Une chose est certaine, créer son entreprise au Québec est beaucoup plus facile qu'en France. Le marché et le gouvernement encouragent les vocations. Réussir en affaires, comme on dit ici, constitue cependant un tout autre défi. Beaucoup de nouvelles sociétés ne passent pas le cap des cinq ans. Il faut donc bien se préparer. Si vous ne disposez pas d'un gros capital qui vous permettrait d'entrer dans la catégorie spécifique des gens d'affaires, vous pouvez cependant, une fois installé au Québec, vous mettre à votre compte comme travailleur autonome (indépendant) ou lancer votre activité.

▶ Les travailleurs indépendants

En tant que travailleur indépendant, si vous exercez en nom propre, aucune démarche n'est nécessaire. Lorsque arrivera la période de la déclaration fiscale, il vous suffira de vous déclarer comme travailleur autonome. Vous pourrez alors déduire vos dépenses professionnelles et bénéficier de certaines déduc-

tions d'impôt. Vous devrez en revanche payer la part patronale de vos charges sociales ; et si votre chiffre d'affaires dépasse 30 000 $, vous devrez vous assujettir aux taxes québécoise (TVQ) et canadienne (TPS), les équivalentes de la TVA française.

▶ Numéro d'entreprise

Il est aussi envisageable, toujours en tant que travailleur individuel, d'immatriculer sa société et lui donner un nom afin d'asseoir une marque commerciale ou simplement faire plus sérieux. Pour obtenir votre Neq (numéro d'entreprise du Québec), vous devrez contacter le Registraire des entreprises. Il vous en coûtera 34 $ (chiffres de 2014) par an.

▶ « S'incorporer »

Il est fortement conseillé aux travailleurs autonomes qui réalisent un chiffre d'affaires avoisinant les 100 000 $ de « s'incorporer », c'est-à-dire de créer une société. Et si les démarches se font alors plus compliquées, il est tout à fait possible, via le Net, de le faire soi-même pour quelque 500 $. Vous pouvez préférer confier ce travail à un comptable ou un notaire ; vous devrez alors débourser environ 1 500 $. Une fois votre société constituée, vous aurez la possibilité de vous salarier voire de vous verser des dividendes, fiscalement moins imposés.

Savoir réseauter

Contacter ses anciennes connaissances, ses amis, sa famille même éloignée, d'anciens camarades d'école déjà installés au Canada, constitue la première pierre d'un réseau. Vous pouvez la poser avant même votre départ de France. Recourez aux réseaux sociaux LinkedIn, Viadeo, Facebook, Twitter… et tissez des liens avec des « amis » québécois ; de futurs employeurs pourraient y découvrir votre profil. Le bénévolat représente également un bon moyen de réseauter (voir le chapitre *S'intégrer à Montréal*). Faites savoir autour de vous que vous êtes disponible et assurez-vous de maintenir des contacts positifs, car rappelez-vous qu'ici on n'aime pas ceux qui se plaignent. Au Québec, chercher un travail n'a rien d'avilissant, c'est dans l'ordre des choses. Une méthode plus osée, mais efficace, consiste à aller soi-même à la chasse aux emplois. Repérez les sociétés dans lesquelles vous souhaiteriez travailler et contactez directement votre supérieur immédiat potentiel (par exemple, un représentant appellera le directeur commercial). Demandez à déposer votre CV en main propre, ce sera un premier contact de quelques minutes avec quelqu'un qui pourrait avoir bientôt besoin de vous.

▶ Dégoter un emploi salarié

Malgré des conditions économiques favorables, la recherche de votre premier emploi au Québec vous semblera peut-être longue et semée d'embûches. Il vous faudra alors redoubler d'efforts et remettre certaines choses en question. Peu d'immigrants trouvent rapidement un travail à la hauteur de leur niveau d'études ou d'expérience. Il sera souvent nécessaire d'avoir occupé plusieurs emplois avant d'accéder à des postes intéressants. Rassurez-vous, si le taux de chômage est plus élevé chez les nouveaux arrivants, et surtout chez ceux issus des minorités visibles, la différence s'estompe au bout de quelques années.

▶ Un marché d'offres d'emploi caché

Selon les spécialistes, 80% du marché de l'emploi serait caché, et la plupart des offres ne sont donc jamais annoncées. Une bonne raison à cela, au Québec, il est aussi facile d'embaucher un salarié que de le débaucher. En fonction des périodes d'expansion ou de récession, les chefs d'entreprise n'hésitent pas à faire fluctuer leur masse salariale. Beaucoup de sociétés ont un gros roulement. Et lorsqu'elles doivent recruter, c'est souvent dans l'urgence. Ce serait alors une perte de temps que de passer des annonces, devoir étudier toutes les candidatures, organiser des entretiens… On fait donc appel à son carnet d'adresses et au bouche à oreille. D'où l'importance pour l'immigrant souhaitant travailler de se construire rapidement un réseau.

▶ Facile de dégoter des petits boulots

Pour les étudiants disposant d'un permis de travail ou les jeunes, il est relativement aisé de trouver des petits boulots (principalement dans la vente ou la restauration). En été, il est également possible de travailler à la campagne pour les récoltes ou dans les camps de vacances. La période des fêtes de fin d'année offre aussi des opportunités d'emplois saisonniers. Les meilleurs jobs sont ceux qui vous donnent la liberté de continuer à chercher le travail dont vous rêvez.

▶ Bilinguisme obligatoire ?

L'anglais est-il obligatoire pour travailler à Montréal ? En principe non. Dans la pratique, la maîtrise de la langue de Shakespeare est un critère d'embauche incontournable, et ce malgré la loi 101, qui proclame le droit de travailler en français au Québec. On est en Amérique du Nord, ne l'oublions jamais ! De nombreux organismes dispensent des cours d'anglais à Montréal. Un bon entraînement consiste aussi à regarder la télévision anglophone et les films en VO et, si vous avez des voisins anglophones, n'hésitez pas à engager la conversation.

▶ Les horaires

Les Québécois sont des lève-tôt. Les horaires de travail sont plus matinaux qu'en France : ici, on commence entre 6h30 et 8h30, on s'accorde une demi-heure à une heure au maximum de pause le midi et on termine entre 15h et 17h. Le temps de travail hebdomadaire est de 40 heures, mais de nombreux employés font moins. La moyenne canadienne était de 36,4 heures en 2011 et de 35,4 pour la province du Québec. Les congés payés sont de deux semaines en été (à prendre en général entre le 14 juillet et le 15 août) et de quelques jours à Noël. Au bout de quelques années dans la même société, on vous accordera une troisième semaine… On est bien loin de la France. Dans certaines

grandes entreprises et dans la fonction publique, on est tout de même davantage privilégié.

▶ La vie en entreprise

Vous vous rendrez vite compte des différences culturelles entre Français et Québécois au travail. Dans l'Hexagone, une grande distance hiérarchique est généralement instaurée au sein de l'entreprise avec son lot de politesse et de barrières. Au Québec, l'approche est moins formelle. Ce qui pourra être vu comme une certaine familiarité, tel un tutoiement immédiat, n'est en fait qu'une exigence sociale. Quand en France, il faut se référer à son supérieur pour prendre la majorité des décisions, au Québec la liberté d'action est plus grande ; votre opinion sera requise et écoutée, quel que soit votre poste.

▶ Malentendus

Beaucoup de Français sont étonnés qu'un entretien qui s'est selon eux très bien passé ne débouche sur rien. L'explication est simple : ils n'arrivent pas sur la même longueur d'onde que le recruteur. Les sociologues parlent de renforcement positif et négatif. Dans le système hexagonal, les parents, les professeurs, etc., ont tendance à mettre en avant les choses à améliorer. Ici, les mêmes préféreront voir le positif et récompenser les efforts. Lors d'un entretien au Québec, personne n'essaiera de vous déstabiliser afin qu'apparaissent vos la-

Infos pratiques

▶ **La liste des métiers en déficit de main-d'œuvre** www.emploiquebec.com (rubrique « Information sur le marché du travail »)

▶ **Conseil emploi métropole** www.emploi-metropole.org

▶ **Objectif emploi** www.oe2.ca (rubrique « Objectif emploi »)

▶ **Commission scolaire English-Montréal** La CSEM propose des cours d'anglais pour adultes. www.emsb.qc.ca

▶ **YMCA** Le mouvement de jeunesse chrétien dispense des cours de langues. Les moins fortunés peuvent y bénéficier de réductions. www.ymcalangues.com

▶ **Conversation Exchange** Cet organisme met en relation des internautes qui veulent apprendre une langue étrangère et qui proposent en échange d'enseigner la leur. www.conversationexchange.com

cunes ; on cherchera plutôt à savoir ce que vous êtes capable de faire et ce que vous pouvez apporter à l'entreprise. Mais ce n'est pas parce que l'entretien a été cordial et axé sur vos points forts que vous faites l'affaire. Au fur à mesure de votre intégration, vous allez petit à petit découvrir tous ces malentendus culturels qui sont plus nombreux qu'on le croit. Il existe même des ateliers pour les nouveaux arrivants axés sur cette problématique, notamment à l'Office français de l'immigration et de l'intégration (Ofii).

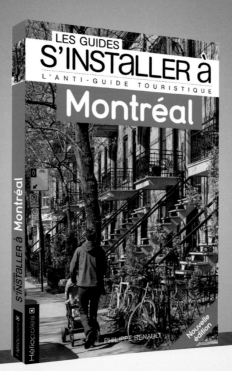

Ils entreprennent à Montréal

D'emblée, Éric, 50 ans, annonce la couleur : « *Ce qui fait la différence lorsque l'on débarque ici, c'est qu'il faut baisser ses prétentions professionnelles.* » Il est rare en effet, une fois passé l'Atlantique, de trouver un premier emploi équivalent à celui que l'on avait en quittant la France (ou la Belgique pour Éric). Lui qui avait été directeur financier d'une société, puis à la tête de son propre bureau de conseils, est entré humblement sur le marché du travail montréalais comme employé avec un salaire modeste. Il va ensuite gravir petit à petit les échelons. « *Il existe beaucoup plus d'offres d'emploi dans des postes de débutant qu'à responsabilité. Ensuite, il faut* saisir les opportunités pour progresser, répondre aux annonces internes tout en se faisant recommander par son supérieur, qui, généralement, est accessible à ce genre de demandes. En Europe, on a tendance à se méfier de son chef et à s'en protéger. Ici, c'est un allié, quelqu'un qui vous épaule.* » Pour continuer à grimper dans la hiérarchie, Éric devra toutefois reprendre la fac, car dans les établissements bancaires quelques paliers ne se gravissent qu'avec un certain niveau d'études. Il retournera donc à l'université en cours du soir et d'été pour obtenir un baccalauréat (une licence dans le système français) en finances. Des études prises en charge par son employeur. « *Au Québec, un diplôme sert plus à évoluer qu'à vraiment trouver du travail. On capitalise sur la personne. Quand on cherche un emploi, il faut cibler les entreprises qui nous* intéressent plutôt que d'envoyer son CV tous azimuts. Pour bien préparer ses entretiens, il est nécessaire de penser à des exemples précis qui illustreront ses compétences. Je conseille aux arrivants de suivre les séances proposées par Immigration-Québec et de se rendre dans les salons de l'emploi.* » Et en raison des rapports simples avec ses supérieurs, il ne faut pas avoir peur de demander de l'aide. Le comportement est primordial. « *Au sein de l'entreprise, on doit éviter de critiquer ou de rechercher le conflit. Ici, harmonie et consensus prévalent.* » Après avoir décroché son diplôme, Éric a changé de banque pour devenir directeur de comptes. Il est finalement revenu à ses premières amours : rencontrer les entrepreneurs et leur offrir des services-conseils. « *Il suffisait de beaucoup de patience et de travail, mais la vie ici en vaut la peine.* »

Propriétaire de deux restaurants (l'un à Saint-Jean-de-Monts, l'autre à Carquefou près de Nantes), Éric souhaitait quitter la France et un « système qui selon lui ne sait pas mettre en avant les qualités entrepreneuriales des jeunes Français. Lors d'un voyage au Québec en 2003, Éric et son épouse Fanny sympathisent avec un gérant de restaurant. Ce dernier rappelle Éric quelque temps plus tard afin de lui proposer un poste de direction dans un établissement de Boucherville en banlieue de Montréal. Le couple arrive au Québec en avril 2004 et Éric l'avoue aujourd'hui, le saut était grand : « *Pour passer de patron en France à directeur salarié au Québec, il m'a fallu faire un gros travail psychologique sur moi-même* ». Son conseil aux futurs entrepreneurs est direct : « *Il faut arriver avec beaucoup d'humilité et se dire qu'on va*

>>>

tout faire pour s'intégrer ». Il restera deux années à Boucherville, deux précieuses années qui vont lui permettre de comprendre les Québécois, leurs habitudes en restauration et les différences entre les résidents de Montréal et ceux de sa banlieue. Ensuite, direction le centre-ville de la métropole où il dirige cette fois un restaurant jet set du boulevard Saint-Laurent et se bâtit en même temps un beau réseau d'affaires. Le concept d'Ateliers et Saveurs (cours de cuisine, conception de cocktail et dégustation de vins), depuis longtemps dans sa tête, est alors prêt à voir le jour. *« Avec mes deux associés (dont sa femme), nous avons mis sur pied un lieu de partage qui vend du bonheur »*. Selon Eric, monter une entreprise au Québec n'est pas plus facile qu'en France. Les démarches de création proprement dites sont beaucoup plus simples et rapides, *« mais faire du business c'est plus difficile, car on n'est pas dans son pays d'origine, mon conseil est de se faire épauler par un conseiller juridique »*. Il répète que *« le Québec ce n'est pas la France, c'est l'Amérique du Nord avec des gens qui parlent français mais que nous y restons des étrangers. Il faut donc rester alertes et prudents sinon on peut se faire avoir très vite»*. Il raconte que *« certains Français sont arrivés avec beaucoup d'euros dans leur poche et plein de projets et sont repartis presque ruinés »*. En revanche, selon lui, le marché est plus dynamique : *« les particuliers et dans notre cas particulièrement les PME qui représentent parmi nos clients 70 % du chiffre d'affaires dépensent plus pour leurs salariés qu'en France. Nous leur avons apporté quelque chose de nouveau avec des cours culinaires simples, variés et abordables. Tout de suite le bouche-à-oreille a fonctionné et nous n'avons pas eu besoin de payer de publicité »*. Forts de leur réussite, les associés d'Ateliers et Saveurs qui emploient aujourd'hui 15 personnes à Montréal ont ouvert une succursale à Québec en 2012 et ont d'autres ouvertures en projet. *« Comme disent les Québécois, nous offrons du fun et nous en avons fait notre philosophie d'entreprise »*.

Pascale,
journaliste et enseignante

Arrivée en 1992 un DEA en littérature en poche, Pascale, qui a aujourd'hui 45 ans, fuyait le stress et les transports parisiens à la recherche *« d'espace »*. Après trois semaines de vacances au Québec l'année précédente, elle s'était décidée à tenter sa chance ici. Elle est très rapidement embauchée dans une maison d'édition de livres scolaires pour sa bonne maîtrise de la langue française. *« Trouver un emploi m'avait alors paru facile. »* Passionnée de littérature, elle n'hésite pas à proposer un article au *Devoir*, le quotidien «intello de gauche » de Montréal. *« Le chef de pupitre, c'est-à-dire le chef de rubrique, m'avait recontactée après ce premier test pour me proposer une autre pige, et rapidement je suis devenue une de leurs critiques littéraires. »* Piquée par la passion du journalisme, elle passe de «réviseure » (on féminise ainsi au Québec) de textes à rédactrice. En plus du *Devoir*, elle devient pigiste à *Châtelaine* (un mensuel féminin) et à *L'Actualité* (hebdomadaire d'information générale). *« Montréal, c'est un petit monde, on reconnaît assez vite tes compétences et on t'appelle. Dans le travail, il faut prendre confiance en soi, mais attention de ne pas tomber dans la vantardise. Certains Français qui débarquent ici ont une fâcheuse tendance à se croire supérieurs dans le domaine de la langue. Mon conseil est d'agir avec humilité et de rester ouvert. »* Après une courte expérience ratée dans un poste fixe sur la côte ouest des États-Unis,

Pascale revient à Montréal et retrouve sa vie de pigiste. Grâce à son réseau de relations, elle apprend qu'un poste est à pourvoir dans un magazine de vulgarisation scientifique, dont elle devient la rédactrice en chef adjointe. « Il y a moins de freins hiérarchiques, ce qui fait que l'on peut facilement rencontrer des gens bien placés et obtenir un rendez-vous. Après il faut que le courant passe. Outre la capacité d'adaptation, c'est la connaissance de la culture locale qui importe. Il faut savoir ne pas tomber des nues lorsqu'on vous parle d'un écrivain québécois ou d'un joueur vedette de hockey… il faut se fondre dans le décor, ne pas rester trop imprégné de sa culture française. » Après 18 ans dans la presse, Pascale s'est lancé un nouveau défi : elle va enseigner la littérature dans un Collège d'enseignement général et professionnel. Une décision due à une progression plafonnée dans le milieu journalistique et un salaire en dessous de ses espérances.

Les facilitateurs de l'emploi

▶ **OFII**

La représentation de l'Office français de l'immigration et de l'intégration au Québec. Cet établissement public offre des services d'aide à la recherche d'emploi aux Français et aux ressortissants étrangers résidents dans l'Hexagone et possédant un permis de travail temporaire ou permanent au Canada.
www.ofiicanada.ca

▶ **CITIM**

Organisme d'aide à l'insertion sur le marché du travail des nouveaux arrivants français ou francophones.
www.citim.org

▶ **MIDI**

À titre de permanent, vous pouvez bénéficier des séances d'information collectives ou individuelles du MIDI (ministère de l'Immigration, diversité et inclusion). Le MIDI délivre également les évaluations comparatives des études effectuées hors du Québec (délai de cinq à six mois, coût de 112 $).
www.immigration-quebec.gouv. qc.ca

▶ **EMPLOI QUÉBEC**

Pour connaître les sites permettant de trouver un travail et les répertoires des entreprises. *Chercher un emploi sans se casser la tête,* édité par Emploi Québec de l'île de Montréal, est une mine d'or.
www.emploiquebec.net
www.emplois-montreal.ca

▶ **PÔLE EMPLOI**

En France, Pôle Emploi a ouvert un site pour permettre aux employeurs étrangers de proposer leurs offres de manière plus visible aux Français, aux ressortissants de l'espace économique européen et aux étrangers en situation régulière dans l'Hexagone.
www.pole-emploi-international.fr

▶ **POUR CRÉER SON ENTREPRISE**

La banque Desjardins.
www.desjardins.com/fr (rubrique « Entreprises » puis « Votre projet »)
Le Centre des petites entreprises.
www.subventionspretsentreprise.com
L'établissement Bibliothèque et archives nationales du Québec fournit des services de recherche de documentation spécialisés aux nouveaux arrivants et un carrefour affaires.
www.banq.qc.ca

▶ **CCFC**

La chambre de commerce France-Canada, fondée en 1886, a pour mandat le développement des relations économiques entre les deux pays. Elle compte près de 1500 membres, entreprises canadiennes que l'Hexagone intéresse ou sociétés françaises établies au Canada. La CCFC accompagne les sociétés dans toutes les activités liées à la vie et au développement de leur projet.
www.ccfcmtl.ca

▶ **MONTRÉAL INTERNATIONAL**

L'agence de promotion économique prodigue aux entreprises et aux travailleurs étrangers du Grand Montréal de judicieux conseils afin de faciliter l'établissement d'une main-d'œuvre qualifiée dans la région.
www.montrealinternational.com

INDEX

Déjà parus dans la collection

LES GUIDES
S'INSTALLER à

France

 Bordeaux Gironde

 Le Havre Seine-Estuaire

 Lille Flandres-Europe

 Lorient Bretagne Sud

 Lyon Grand Lyon

 Marseille Méditerranée

 Montbéliard Entre Vosges et Jura

 Montpellier Méditerranée

 Mulhouse Alsace

 Nantes Atlantique

 Nice Côte d'Azur

 Paris

 Quimper Cornouaille

 Strasbourg Rive du Rhin

 Commercy Sud Meuse

 Toulouse Midi Toulousain

International

 Londres

 Montréal

 Bruxelles

**Retrouvez
nos nouveautés sur
www.heliopoles.fr
et suivez nous
sur Facebook**

Crédits photographiques

Toutes les photos de ce guide ont été réalisées par Philippe Renault à l'exception de : p. 10 Vélo Québec /Gaetan Fontaine - p. 11 (haut droite) Vélo Québec /Gaetan Fontaine - p. 18 UQAM - p. 108 (haut) Les Grands Ballets - p. 109 (haut) Bouillon Bilk - p. 109 (bas) Europea p. 111 (haut) Sofitel / William Huber - p. 112 (haut) Apollon, (milieu) Bal en Blanc / David Giral, (bas) Bad Boy Club p. 113 (haut) Buonanotte, (bas) New City Gas - p. 114 (haut) Le Passeport / SG, (bas) Piknic Electronic / Miguel Legault p. 134-135 CSMB - p. 139 (haut) Centre des Sciences / Lemire, (milieu) Pointe a Calliere / MA Zoueki - p. 141 (milieu) Jungle Aventure, (bas) Aquadôme - p. 142 (haut) MAC / Nat Gorry, (bas) Sky Venture / Mario Bernard - p. 143 CSMB / Hugo Sebastien Aubert - p. 148-149 Université de Montréal - p. 150 Université de Montréal - p. 152 (haut) Polytechnique / Productions Punch, (bas) Université de Montréal - p. 154 Université de Montréal - p. 160 (haut) Université de Montréal

À mon ami Michel Senécal, le premier à m'avoir fait découvrir Montréal.

Héliopoles

Éditions Héliopoles

Directeur des collections
Christophe Brunet
Directrice
Zoé Leroy : 01 78 10 38 99
(z.leroy@heliopoles.fr)
Directrice artistique
Ewa Biejat-Roux
Ont collaboré à la réalisation de ce guide
Auteur-photographe : Philippe Renault
Iconographie : Geoffrey Sieffert
Cartographies : Philippe Paraire
Régie publicitaire exclusive et partenariats : H2J Conseil
Claire Hadjadj : claire@h2jconseil.com
Tél. France : +33(0)6 59 51 24 02
Thierry Hadjadj : thierry@h2jconseil.com
Tél. Montréal : +1(514)495 00 25

S'installer à Montréal
2e édition
© Héliopoles
**22, rue des Taillandiers
75011 Paris**
☎ **01 78 10 38 99**
editeur@heliopoles.fr
www.heliopoles.fr

Dépôt légal
Août 2015
ISBN : 978-2-919006-28-1
ISSN 2116-567X

Achevé d'imprimer par MCC Graphics (Espagne)
Dépôt légal : Août 2015